PREPÁRATE PARA RECIBIR UNA LLUVIA DE GRACIAS EN TU VIDA

Este retiro espiritual, autodirigido, ha dado como resultado muchos milagros en las vidas y corazones de aquellos que se han aplicado a él. El Papa Juan Pablo II, dijo, que su consagración a María "fue un momento decisivo en su vida". Puede ser lo mismo para ti.

EL MANTO DE MARÍA:
UNA CONSAGRACIÓN MARIANA
PARA OBTENER AYUDA CELESTIAL
Es un viaje que profundiza a través
del poder de la oración.

MEDITACIONES SOBRE LAS VIRTUDES
Y LOS DONES, EL ROSARIO Y EL AYUNO
Y TU CONSAGRACIÓN A MARÍA

RECOMENDACIONES

"Uno de los grandes consuelos de ser católico es saber que la Madre de Nuestro Señor es también nuestra Madre. *El Manto de María,* profundiza la vida personal de la virtud, une a la gente en la oración y santifica la vida diaria, haciéndonos así, más parecidos a su Hijo y llevando así la alegría a su corazón maternal. Agradezco a Christine Watkins por poner a disposición del mundo de habla inglesa (y ahora español) esta práctica tan sencilla, que creció por primera vez en el suelo fértil de la piedad mexicana".

—Arzobispo Salvatore Cordileone;
San Francisco, California, EEUU

"*El Manto de María,* es un medio especial para responder a la llamada a la santidad, que debe ser el corazón y la vida de cada discípulo de Cristo. Lo recomiendo para todo tipo de personas, esposos, familias y parroquias como una valiosa respuesta al llamado de la Nueva Evangelización. Nuestra Señora de Guadalupe, la "Estrella de la Nueva Evangelización" asistirá a todos los que buscan el camino al Cielo".

—Obispo Myron J. Cotta;
Stockton, California, EEUU

Con sincero corazón deseamos que todas las personas que con sencillez y entera confianza realicen este retiro autoguiado alcancen por intercesión de Nuestra Madre Santísima de Guadalupe la transformación de sus vidas.

El Espíritu Santo derrame sus dones y gracias a todos los que con amor hagan su consagración a nuestra Madre Santísima. Ella nos alcance de Dios todo lo que esta generación necesita para obtener la ayuda celestial. Todos unidos en la oración.

—CARMELITAS DESCALZAS
Cerrito del Tepeyac, Basílica de Guadalupe, Ciudad de México

"*El Manto de María: Una Consagración Mariana* es una manera sencilla, pero poderosa, de experimentar la presencia del amor transformador de Dios, a través de la tierna y maternal intercesión de nuestra Madre en el cielo. Las meditaciones inspiradoras de Christine Watkins también son prácticas, y fácilmente aplicables a las luchas diarias de cualquier persona para crecer en santidad y en intimidad con Dios.

Recomiendo de todo corazón esta consagración autoguiada a María—preparándose con el Rosario, un ayuno simple y la contemplación de las virtudes y los dones—ofreciéndola para cualquier intención y necesidad que se tenga, por más desesperada que esta sea".

—Padre Samuel West
Párroco, Iglesia San Patricio; Sonora, California, EEUU

"Hay momentos en la vida diaria y en la Iglesia, en los que nos sentimos desafiados y no sabemos a dónde acudir buscando respuestas. Ahora más que nunca necesitamos un milagro. Christine Watkins nos guía a través de un retiro autoguiado de 46 días, el cual se centra en el rezo diario del Rosario, un poco de ayuno y la meditación de varias virtudes y los siete dones del Espíritu Santo, lo que conduce a ¡una transformación en nuestras vidas y en las personas que están en el viaje con nosotros! Las meditaciones son ricas en la Sagrada Escritura y nos animan a aplicarlas a nuestras circunstancias actuales. *El Manto de María: Una Consagración Mariana,* inspirada en las 46 estrellas del manto de Nuestra Señora de Guadalupe, nos dirige a una relación más profunda de confianza y abandono en Nuestro Señor por todo lo que necesitamos para ser felices, y nos ayuda a reconocer los milagros en nuestras vidas".

—Padre Sean O. Sheridan, TOR;
Ex-presidente y Profesor de Teología
Universidad Franciscana de Steubenville, Ohio, EEUU

"Después de que hice *El Manto de María: Una Consagración Mariana,* mi esposo, después de muchos años, dejó de beber. Se arrodilló, se disculpó conmigo y con los niños, y comenzó a ir a misa con nosotros. Es realmente un milagro".

—Carla Agustín
Santa Rosa, California, EEUU

"Las meditaciones en *El Manto de María: Una Consagración Mariana* me conmovieron e impresionaron tanto a mi corazón, que quise más. Sabía que el retiro sería la ayuda perfecta para la Iglesia en este tiempo de crisis, así que, decidí coordinar un retiro para mi parroquia, el cual se me facilitó mucho gracias a los correos electrónicos diarios. El Espíritu Santo tocó a todos de una manera especial durante los 46 días, incluyéndome a mí—nuevamente. Mucha gente todavía me dice lo mucho que lo extraña y se preguntan: «¿Cuándo haremos este retiro de nuevo?»".

—Rosanna Ruiz, esposa del Diácono Mark Ruiz
Parroquia de San José; Lincoln, California, EEUU

Manto de María: Diario de Oración para la Consagración es un libro de acompañamiento para ser usado junto con:

EL MANTO DE MARÍA:
UNA CONSAGRACIÓN MARIANA
PARA OBTENER AYUDA CELESTIAL

www.queenofpeacemedia.com/el-manto-de-maria

Tanto *El Manto de María: Diario de Oración para la Consagración* y *EL MANTO DE MARÍA: UNA CONSAGRACIÓN MARIANA PARA OBTENER AYUDA CELESTIAL* están originalmente disponibles en inglés

www.queenofpeacemedia.com/el-manto-de-maria

Los videos semanales que acompañan a *El Manto de María: Una Consagración Mariana* están disponibles en Facebook:

"México con María"

en la sección de videos de la Consagración Mariana
y también en:

Queen of Peace Media You Tube Channel

http://bit.ly/2M3ntRg

que te lleva directamente a:

"MARIAN CONSECRATION SERIES"

Empieza con el video que se llama

MARIAN CONSECRATION SERIES:
Parte 1: ¿Qué significa la Consagración a María?

En este sitio da clic donde la flecha y elige "Spanish".

Los niños también pueden participar en el retiro "El Manto de María" pegando diariamente una calcomanía de una estrella o iluminándola en el póster de 61 x 91.5 cm de Nuestra Señora. Y después enmarcarla.

Y en formato impreso y electrónico
en www.queenofpeacemedia.com/el-manto-de-maria

ACERCA DE LA AUTORA

Christine Watkins (www.ChristineWatkins.com) es una inspiradora conferencista y autora católica.

Antes de su conversión, la Señora Watkins bailó profesionalmente con la Compañía de Ballet de San Francisco. Hoy en día, tiene veinte años de experiencia como reconocida conferencista, líder de retiros, Directora Espiritual y Consejera—con diez años trabajando como Tanatóloga -terapeuta de duelo- en un hospicio, y otros diez años como Directora de Sanación Postaborto.

Sus libros incluyen los best sellers católicos: "El Aviso: Testimonios y Profecías sobre la Iluminación de Conciencia", "Transfigurada: La Historia de Patricia Sandoval", "Hombres Junto a María: Así vencieron seis hombres la batalla más ardua de sus vidas." Y otros en inglés como "Winning the Battle for Your Soul: Jesus' Teachings through Marino Restrepo, a Saint Paul for Our Century; "In Love with True Love: The Unforgettable Story of Sister Nicolina".

C. Watkins fue atea y anticristiana viviendo una vida de pecado, pero después de una curación milagrosa recibida de Jesús a través de María que la salvó de la muerte, comenzó una vida de servicio a la Iglesia Católica. Su historia se puede encontrar en el libro en inglés, "Full of Grace: Miraculous Stories of Healing and Conversion through Mary's Intercession".

La Sra. Watkins vive en Sacramento, California con su marido y dos hijos.

AGRADECIMIENTOS

Un agradecimiento especial a Dan Osanna, Anne Manyak, William Underwood, Jamie Leatherby y Linda Kline por compartir sus corazones de oro y sagaces ojos en la edición, y a Sandra Dettori por prestar sus notables dones artísticos para la portada.

Agradecemos a Elizabeth Hernández, Manuel Hernández, y a Mariely M. de Gessler por su arduo trabajo traduciendo y editando esta versión en español y a DignidadyFamilia.org por la revisión final.

EL MANTO DE MARÍA

UNA CONSAGRACIÓN MARIANA PARA OBTENER AYUDA CELESTIAL

Christine Watkins

UN RETIRO PARA PERSONAS OCUPADAS,

FAMILIAS, GRUPOS Y PARROQUIAS

Inspirado y adaptado parcialmente en los escritos del Padre Ignacio Larrañaga, OFM, Cap.

A menos que se indique lo contrario, los textos de las Escrituras utilizados en esta obra están tomados de la Biblia del Vaticano http://www.vatican.va/archive/ESL0506/_INDEX.HTM.
Copyright©Libreria Editrice Vaticana [2007 05 07]. Aunque se han tomado todas las precauciones necesarias para verificar la exactitud de la información contenida en el presente documento, los autores y el editor no asumen ninguna responsabilidad por cualquier error u omisión. No se asumen tampoco ninguna responsabilidad por los daños que puedan resultar del uso de la información contenida en la misma.

Traducción al español por Manuel Hernández; y editado por Mariely M. de Gessler. Arte de la portada por Sandra Lubreto Dettori. www.etsy.com/shop/ThreeArchangels.

El libro fue primeramente impreso en los EEUU bajo el nombre de Mary's Mantle Consecration: A Spiritual Retreat for Heaven's Help, y está disponible en inglés en www.QueenofPeaceMedia.com and Amazon.com.

ISBN-13: 978-1-947701-16-8

CONTENIDO

PREFACIO

Por: Monseñor James Murphy

El Manto de María: Una Consagración Mariana, es un programa de oración de consagración a la Santísima Madre que es ideal para la vida dinámica y activa.

Puede hacer este retiro espiritual de manera individual, en pareja, como familia, en grupo o en una congregación entera. Y si elige hacerlo en grupo o congregación, no tiene que preocuparse por una reunión más en su vida; se puede hacer a través de WhatsApp o correo electrónico diario. Y la opción de preguntas de forma compartida se puede hacer de manera virtual en línea utilizando alguna plataforma como ZOOM. *El Manto de María: Una Consagración Mariana,* ¡es la oración en la era electrónica!

El centro del programa es el Rosario, esa "oración centenaria" que ha resistido la prueba del tiempo, por ser tan poderosa y fácil de usar. Pudiendo rezarlo en cualquier lugar: mientras está en la cama con la luz apagada, caminando en el parque, conduciendo al trabajo, o reuniéndose en familia (yo crecí rezándolo diariamente en familia). Lo importante es que lo haga de manera que lo adapte a su estilo de vida y a sus necesidades particulares.

El ayuno (¡no mucho!) también es parte del programa. ¡No se sorprenda! Esta también es una forma antigua de oración. Hacer un poco de ayuno, agrega un significado extra, cuando lo hace por una intención: por la Iglesia, por un miembro de la familia que le preocupa, o por una causa en la que cree. Como sacerdote, ayuno en estos días, por la reparación del pecado y por la sanación de las víctimas de abuso sexual, como lo han solicitado los obispos de todo Estados Unidos. También ayuno por el Papa, ya que estamos atravesando un momento muy difícil en la historia de la Iglesia.

También, hay una breve meditación diaria—una especie de pensamiento para el día—basada en las Virtudes Teológicas, las Virtudes Cardinales, los Siete Dones del Espíritu Santo, y otras joyas de sabiduría de la tradición de la Iglesia (tristemente, muchos de nosotros ya ni siquiera podemos nombrar las Virtudes Cardinales). Estas meditaciones, son un excelente alimento para el alma, similar a la "Lectio Divina" de antaño. Cada día, estarán más ansiosos de leerlas.

De esta forma, consagrarse a María, o consagrar a su familia, o renovar su consagración a ella, es tomarse el asunto muy en serio. Si los días de la preparación y la consagración final, se hacen con un corazón sincero, tú serás de María, y ella será tuya. No puedo pensar en una mejor oración que la que María nos pide a nosotros, el Rosario, para así contemplar y asimilar las mismas virtudes y dones que ella posee en su totalidad.

También está disponible el *Diario de Oración para la Consagración al Manto de María,* el cual, ofrece citas de santos, pasajes de la Escritura y preguntas prácticas y detalladas con relación a cada meditación para ayudar a que las virtudes y los dones cobren vida en su vida. No olvide ver los videos semanales de Christine Watkins y el diácono David Leatherby, que le inspirarán.

La oración personal está en el corazón de quienes somos cristianos, pero para muchos de nosotros, se pierde en el constante ruido y distracciones de los iPod y de los teléfonos celulares. La Iglesia nos ha dado una variedad de estilos y estructuras que nos ayudan a rezar más, desde los grupos carismáticos, Liturgia de las Horas, y la Oración en el silencio interior, por nombrar sólo algunos. El problema es que estos movimientos, por buenos que sean, no son para todos; algunos de ellos pueden ser muy desalentadores, sobre todo para quien, nunca antes, ha rezado de esa manera.

La fuerza de *El Manto de María: Una Consagración Mariana* radica en su sencillez y familiaridad. Es para todos. Si le preocupa pasar más tiempo en la oración y crecer en santidad, *El Manto de María: Una Consagración Mariana* es un lugar maravilloso para empezar.

—Monseñor James Murphy
Autor de *El martirio de Santo Toribio Romo*
y *Saints and Sinners in the Cristero War: Stories of Martyrdom from Mexico*

ORIGEN Y DEDICACIÓN

Hay una antigua tradición en México llamada *"El Manto de María"*, que comenzó en pequeños barrios donde todos se conocían y todos tenían fe. En esos tiempos y lugares donde las noticias se comunicaban en las iglesias, en las visitas a los hogares, y a través de los chismes en la plaza del pueblo, comenzó la Consagración al Manto de María.

Personas fieles, pobres, humildes y enamoradas de Nuestra Señora, invitaban a 46 personas y familias a participar en el rezo del Rosario en los hogares de cada uno. Eligieron "46" porque es el número de estrellas en el velo o manto de la imagen sobrenatural de Nuestra Señora de Guadalupe. Una mujer del barrio cosía el manto de María en un pedazo de tela verde y cortaba 46 estrellas de tela dorada. A partir del 28 de octubre, fiesta de San Judas, los que aceptaban la invitación se reunían en la primera casa por la noche, llevando el manto de tela, las estrellas, y una imagen de Nuestra Señora de Guadalupe. Todos los presentes rezaban un Rosario, y la familia o el anfitrión colocaban la primera estrella dorada en el manto verde de María. El manto era entonces puesto para cobijar amorosamente a los miembros de la casa, quienes se arrodillaban ante una imagen de Nuestra Señora, ofreciéndole sus vidas. Terminaban con una merienda y convivencia. En el segundo día, el manto viajaba a la siguiente casa, donde recibía una segunda estrella, y así sucesivamente hasta que la última casa era visitada el día 46, el 12 de diciembre, la Fiesta de Nuestra Señora de Guadalupe.

Poco a poco, esta sagrada tradición fue adoptada por párrocos de todo México, quienes anunciaban *"El Manto de María"* en las misas, animando a los feligreses a participar en la devoción. El día de la clausura de la festividad de Nuestra Señora de Guadalupe, las 46 personas y familias se reunían en la iglesia, tomando el manto verde, ahora cubierto con las 46 estrellas, ceremoniosamente lo colocaban encima de la estatua de Nuestra Señora, y se arrodillaban ante ella, mientras que el sacerdote pronunciaba palabras de veneración y de consagración.

La inspiración para *El Manto de María* vino de esta hermosa devoción y de la mente fértil y el corazón magnánimo de mi cercana amiga, Patricia Sandoval—una extraordinaria discípula que viaja por el mundo, compartiendo su inolvidable historia de conversión (como se narra en el libro *Transfigurada: El Escape de las Drogas, de la Calle y de la Industria del Aborto de Patricia Sandoval).*

Como descendiente bilingüe de inmigrantes mexicanos, aprendió de su madre la devoción al *"Manto de María"*, quien vio, que, esta tradición íntima del pasado de su país natal, estaba siendo olvidada. Para revivirla, su madre comenzó a viajar a pie, de casa en casa en su pequeño vecindario mexicano, llevando el manto que había hecho a mano.

Inspirada por los esfuerzos de su madre, Patricia Sandoval contactó a 46 personas a las que había conocido en sus viajes por distintos países, e invitó a las mismas a unirse a *"El Manto de María"*. Cada día, durante 46 días, les envió, por correo electrónico, una descripción de una virtud a contemplar, y les pidió que se comprometieran a rezar diariamente un Rosario y a ayunar ocasionalmente el uno por el otro y por una intención colectiva, uniéndose así a ella, en la primera consagración "virtual" del Manto de María. Los milagros se produjeron. Una mujer dedicó esta devoción a su esposo que había sido alcohólico y abusivo durante años, y como resultado, él dejó de beber, se disculpó con su familia, y volvió a la Iglesia Católica. Muchas almas fueron sanadas y muchas vidas transformadas. La devoción se propagó entonces a Ecuador, Colombia y El Salvador. A medida que el Manto de María crecía, se hizo cada vez más resplandeciente, iluminado por los rosarios diarios de la gente y los días de ayuno; María, a su vez, en agradecimiento, recogía más gracias y las derramaba sobre sus hijos.

Al ver que esta devoción evocaba una respuesta muy poderosa del cielo, quise ofrecer este retiro espiritual, único e íntimo, como preparación para la consagración Mariana, a todo el mundo. En nuestra era electrónica, con el ajetreo de la vida moderna y los largos caminos que nos separan, normalmente no podemos reunirnos en las casas de los demás todas las noches, pero podemos recibir alentadores correos electrónicos o mensajes en WhatsApp grupales que nos recuerdan que debemos orar, y podemos reunirnos en espíritu con la misma gracia resultante. La ayuda celestial obtenida de los 46 días de la Consagración, realizada colectivamente, ha demostrado ser nada menos que extraordinaria.

También quería que aquellos que hicieran esta consagración tuvieran más que una breve descripción de las virtudes a contemplar cada día. La ayuda vino de la experiencia de vida y las palabras de un hombre especial, un franciscano capuchino vasco, el Padre Ignacio Larrañaga, que murió en el año 2013. El legado *de sus Talleres de Oración y Vida* (ver www.tovpil.org), que recomiendo encarecidamente, inspiró y dio forma a este libro. Muchas de las meditaciones sobre las virtudes y los dones del Espíritu Santo, están adaptadas de los escritos del Padre Larrañaga, y, por lo tanto, son tan suyas como mías. La ayuda también vino del Santo Papa Juan Pablo II. Su oración a María, que recitó en la Basílica de Nuestra Señora de Guadalupe en México en 1979, durante su primer viaje al extranjero como Papa, proporciona las sublimes y oportunas palabras de consagración a María, llevando la devoción a un final sagrado.

Para brindarte un acompañamiento indispensable, Laura Dayton y yo, creamos *El Manto de María: Diario de Oración para la Consagración*, con pasajes de las Escrituras que invitan a la reflexión, citas de santos y preguntas cuidadosamente escogidas. Puedes usarlo tanto individualmente como en grupos de oración o en congregaciones parroquiales, para abrazar las virtudes y los dones más plenamente en tu vida—para, nada más y nada menos, que parecerse más a María.

En nuestra era moderna, los videos pueden proporcionar un medio notable para mejorar nuestra vida espiritual y nuestro conocimiento, siempre y cuando elijamos cuidadosamente lo que vemos. Para darles una experiencia aún más rica del retiro, acompañan esta consagración, las presentaciones en video con charlas mías, Christine Watkins, y el diácono David Leatherby. Los niños lo pueden disfrutar también participando y pegando, diariamente, una estrella a un hermoso póster de Nuestra Señora, o coloreando una página de su imagen.

He orado al Padre Larrañaga y al Santo Papa Juan Pablo II, y he hablado con Patricia Sandoval, pidiéndoles que se unan a mí, para interceder por todos los que participen en *El Manto de María.* Este libro está dedicado a ellos: tres hermosas almas que han hecho mi vida mucho más rica—una trabajando todavía en esta vida, y las otras dos, ya bailando libremente en la siguiente.

LAS CUATRO PRÁCTICAS ESPIRITUALES PARA LA CONSAGRACIÓN A MARÍA

El Manto de María incorpora cuatro modos de oración, que han resistido la prueba del tiempo y la verdad para mover y derretir el corazón de Dios. Son el Rosario, el ayuno, la consagración a María, y a través de la lectura espiritual, el esfuerzo por vivir las virtudes y caminar en los siete dones del Espíritu Santo.

"El objetivo de una vida virtuosa es llegar a ser como Dios".

—San Gregorio de Nisa

1) El Rosario

Los participantes en la Consagración El Manto de María están invitados a rezar un Rosario diario—a cualquier hora del día—durante 46 días. Las 46 estrellas en el manto de Nuestra Señora de Guadalupe cuando se le apareció a San Juan Diego en 1531 aún pueden verse claramente, hoy en día, en la imagen milagrosamente preservada de Nuestra Señora de Guadalupe en su Basílica de la Ciudad de México, la cual, cada año, es venerada por millones de peregrinos. El número 46 también abarca los días de Cuaresma, desde el Miércoles de Ceniza hasta el Sábado Santo. En cada uno de los 46 días de este retiro, se añade una estrella al manto de María. La adornamos con estrellas brillantes, porque ella aprecia enormemente nuestros esfuerzos y está con nosotros en cada momento de nuestro viaje hacia la consagración.

El Santo Rosario, junto con la Santa Misa, es la forma de oración más poderosa que existe, porque en cada "Ave María" nos acompaña la Madre de Dios que intercede por nosotros. San Pío de Pietrelcina comentó una vez: *"Nuestra Señora nunca me ha negado una gracia a través del rezo del Rosario".*

El Papa Pío IX, también dijo: *"Entre todas las devociones aprobadas por la Iglesia, ninguna ha sido tan favorecida con tantos milagros como la devoción al Santísimo Rosario"*. En una exhortación a la Iglesia universal, el Papa Pío XI, escribió: *"El Rosario es un arma poderosa para hacer que huyan y para mantenerse alejado del pecado. . . Si desean paz en sus corazones, en sus hogares y en su país, reúnanse cada tarde para rezar el Rosario. No dejéis pasar ni un solo día sin rezarlo, por muy cargados que estéis de muchas preocupaciones y trabajos"*.

2) Ayuno

Donde se necesitan milagros y avances, se requiere del ayuno. El ayuno hace que ocurra un gran bien donde el mal habría prevalecido de otra manera. Cuando los discípulos le preguntaron a Jesús, por qué no podían expulsar a un demonio de un niño, Jesús les respondió, que ciertos espíritus malignos sólo pueden ser sometidos a través de la oración y el ayuno. Tales son los demonios que enfrentan, en este momento, nuestro mundo y la Iglesia. *"Y les dijo, «En cuanto esta clase de demonios, no se los puede ser expulsar sino por medio de la oración y el ayuno»"*

El ayuno, como mínimo, de un día, es un componente importante del retiro. El ayuno sugerido es a pan y agua. (Para aquellos con limitaciones de salud, se puede observar un ayuno modificado. Esto podría significar eliminar los postres y el café, o comer sólo verduras, frijoles y/o nueces, y beber mucha agua).

Los relatos bíblicos sobre el ayuno, siempre se refieren a la simplificación o a la ausencia de alimentos. Jesús hizo ayuno de comida y de agua durante 40 días y 40 noches, y asume que todos Sus discípulos están ayunando. En el Evangelio de Mateo 6: 16a, dice: *"Cuando ustedes ayunen, no pongan cara triste, como hacen los hipócritas"*. El ayuno bíblico, abre la puerta a los beneficios excepcionales de la gracia, y precede a los grandes eventos. Antes de recibir los Diez Mandamientos, Moisés ayunó durante 40 días y 40 noches (Éxodo 34: 28). Para salvar del exterminio a los judíos a manos del Imperio Persa. La Reina Ester convocó a un ayuno (Ester 4:16). A la advertencia del profeta Jonás, los Ninivitas ayunaron y se les perdonó la vida (Jonás 3:5-9). Los primeros discípulos ayunaron para la elección y el nombramiento de los líderes cristianos (Hechos 13:3; 14:23). Y Jesús, después de su estancia de ayuno en el desierto, comenzó su ministerio público.

La práctica espiritual del ayuno de comida llega al corazón de nuestro ser, dándonos más vida en el Espíritu y menos vida en la "carne", transformando así lo que somos. Los malos hábitos pueden ser eliminados de raíz, no simplemente sus ramas. Los antojos por las cosas de este mundo pueden desaparecer, ya que nuestra voluntad está bajo nuestro control.

El ayuno también puede ofrecer respuestas claras a los problemas, curar las adicciones, prevenir el hambre y las guerras, y suspender las leyes naturales.

Según San Basilio el Grande:

El ayuno da a luz a los profetas y fortalece a los poderosos; el ayuno hace que los legisladores sean sabios. El ayuno es una buena salvaguarda para el alma, un compañero firme para el cuerpo, un arma para los valientes, y un gimnasio para los atletas. El ayuno repele las tentaciones, unge la piedad; es el compañero de la vigilancia y el artífice de la castidad. En la guerra, lucha con valentía, en la paz, enseña la quietud.

3) Contemplación de las Virtudes y los Siete Dones del Espíritu Santo

El Manto de María, invita a los participantes a leer las meditaciones diarias de este libro, que resaltan los aspectos de una virtud o el de un don del Espíritu Santo. Esta lectura espiritual toma sólo un par de minutos y puede hacerse a cualquier hora del día. El libro complementario, *El Manto de María: Diario de Oración para la Consagración,* es intrínseco a tu caminar, pues incorporara más profundamente estas virtudes o dones en su vida diaria.

María, en toda su extensión humana, poseía en su alma, todas las virtudes y los siete dones del Espíritu Santo. Meditando sobre estas mismas virtudes y dones, y esforzándonos por incorporarlas más plenamente en nuestras propias almas, nos hacemos más parecidos a María. De esta forma nos preparamos adecuadamente para una íntima y verdadera consagración a la Madre de Dios.

Las oraciones que emanan de un corazón puro y virtuoso son muy agradables a Dios que dirige Su escucha hacia nosotros. Nos convertimos en guerreros de oración más eficaces cuando cultivamos las virtudes y nos abrimos a los siete dones del Espíritu Santo: sabiduría, entendimiento, consejo, fortaleza, conocimiento, piedad y temor de Dios. La Escritura da fe del poder de la oración de una persona justa:

Confiesen mutuamente sus pecados y oren los unos por los otros, para ser curados. La oración perseverante del justo es poderosa. Elías era un hombre como nosotros, y, sin embargo, cuando oró con insistencia para que no lloviera, no llovió sobre la tierra durante tres años y seis meses. Después volvió a orar; entonces el cielo dio la lluvia, y la tierra produjo frutos. (Santiago 5: 16-18)

Si ustedes permanecen en mí y mis palabras permanecen en ustedes, pidan lo que quieran y lo obtendrán. La gloria de mi Padre consiste en que ustedes den fruto abundante, y así sean mis discípulos. (Juan 15:7-8)

Queridos míos, si nuestro corazón no nos reprocha nada, podemos acercarnos a Dios con plena confianza, y Él nos concederá todo cuanto le pidamos, porque cumplimos sus mandamientos y hacemos lo que le agrada. (1 Juan 3: 21-22)

4) Consagración a María

El objetivo final de *El Manto de María* es el mismo que el de toda consagración auténtica Mariana: la unión perfecta con Jesucristo a través de la donación total de todo lo que somos, y el ofrecimiento de nosotros mismos a Nuestra Señora. Cuando nos consagramos a ella, le damos nuestros cuerpos, nuestras almas, y el valor de nuestras buenas obras y nuestras oraciones —pasadas, presentes y futuras— para utilizarlas y distribuirlas como ella quiera. Ella es la Mediadora de Todas las Gracias, lo que significa que todas las gracias de Dios son distribuidas al mundo a través de ella. De este modo, María, a cambio de nuestra consagración, utiliza todo el poder de su intercesión para ayudar a conformarnos a Cristo.

Para ser una vasija abierta y recibir la plenitud de la gracia que Dios y María desean impartirnos, es importante que recibamos el Sacramento de la Reconciliación (Confesión), unos pocos días antes de la consagración final.

Nadie está obligado a consagrarse a la Virgen, pero todos estamos llamados por Dios a la santidad de vida, a ser santos. Podemos elegir la Opción "A", para esforzarnos por la santidad sin la ayuda de María; o la Opción "B", llegar a ser como Cristo con toda la fuerza de las oraciones de la Mediadora de Todas las Gracias. Ser consagrados a María es un gran regalo del cielo. Es por eso que los Papas, los santos y los místicos, nos han invitado desde hace mucho tiempo a hacer una consagración formal a ella.

La consagración Mariana comenzó en los siglos IV y V. Los primeros sermones africanos de este período hablan de convertirse, voluntariamente, en "esclavos de María". En el siglo VIII, en el este, personas como San Juan Damasceno (675-749), eran autores de oraciones de consagración a la Madre de Dios: *"Oh Señora, ante ti nos postramos. Señora, yo te llamo Virgen Madre de Dios. Y para esperanza siendo el ancla más fuerte y segura que eres, nos unimos a ti"*

En el siglo XVII, San Luis María de Montfort (1673-1716), se convirtió en el campeón de la consagración Mariana, a través de su obra literaria *Tratado de la verdadera devoción a la Santísima Virgen María,* que fue descubierta después de su muerte. En este clásico espiritual, describe la consagración total a María como "el medio más seguro, fácil y perfecto" para convertirse en un santo. Y el Papa Juan Pablo II adaptó como lema personal *"Totus Tuus"* que significa "Todo tuyo". Estas son las palabras que inician la consagración Mariana de San Luis María de Montfort:

"Totus tuus ego sum, et omnia mea tua sunt, O Virgo, super omnia benedicta".

"Soy todo tuyo. Y todo lo mío es tuyo, Oh Virgen, bendita por encima todo".

Mientras que los estudiosos modernos, sostienen, que la consagración de San Luis María de Montfort fue a Jesús a través de María, ésta fue directamente dirigida a María, al igual que el primer texto de la consagración Mariana en la Iglesia. No debemos preocuparnos de que al dar todo lo que somos a María, perderemos de vista a Jesús, Nuestro Salvador. Porque como también dice San Luis María de Montfort, *"Cuanto más se consagra un alma a María, más se consagra a Jesucristo"* (Tratado de la Verdadera Devoción a la Santísima Virgen María, Sección 120).

Tampoco debemos temer que al entregar a María nuestro propio ser, y los méritos de nuestras oraciones y de nuestras buenas obras; nuestras necesidades o las de nuestros seres queridos, sean olvidadas. María, que está íntimamente consciente del estado de la Iglesia y del mundo entero, en un momento dado, utiliza nuestra ofrenda para la mayor salvación posible de las almas—y al mismo tiempo, perfecta y notablemente, para la propia salvación y santificación personal. Nuestra conciencia humana, extremadamente limitada, no puede compararse con la extraordinaria capacidad de conocer el estado espiritual y las necesidades de siete mil millones de almas. Ésta es la posición de ventaja de la Madre de Dios.

Cuidando perfectamente de nosotros, María, primero distribuirá nuestros méritos, hacia nuestra vocación personal en la vida, y lo hará de la mejor manera posible. Ella nos llevará a cumplir, nuestras obligaciones, con nuestro estado y con nuestra vocación. Además, María distribuye perfectamente las gracias que merecemos, aun cuando olvidamos, o no tenemos forma de discernir, quién es, el que más necesita de nuestras oraciones y de nuestros sacrificios. Nuestra Madre lo sabe mejor.

San Luis María de Montfort también nos aseguró que siempre es meritorio regalar méritos. Recibiremos aceleradamente, más de lo que ofrecemos de nosotros mismos, en nuestro acto de consagración. Para decir esto, en términos más simples, ayudamos a la Virgen a cuidar del mundo, y ella cuida nuestras almas y las de nuestros seres queridos, mejor de lo que nosotros podríamos.

CÓMO PARTICIPAR EN LA CONSAGRACIÓN CON *EL MANTO DE MARÍA*

La preparación de los 46 días para la consagración con *El Manto de María* puede ser hecha individualmente, por parejas, por familias, por grupos o por congregaciones enteras. Ten en cuenta: la Consagración a María, no tiene que hacerse perfectamente. Dios se regocija en nuestro intento. Si te pierdes un día de oración o tropiezas con tus intentos, permite que la misericordia y el aprecio de Dios, por tus esfuerzos, te envuelva, sin dejar espacio para el desaliento o el autorreproche. Si lo deseas, puedes utilizar *El Manto de María: Diario de Oración para la Consagración,* para complementar y profundizar su preparación para la consagración.

Esta consagración a María debería terminar, idealmente, en un Día de Fiesta Mariana, o si se realiza como parte de su camino Cuaresmal, el Sábado Santo. Aquí tienes las fechas para la Consagración:

FECHA	PRINCIPALES FIESTAS
1 Enero	María Madre de Dios
2 Febrero	Presentación de Jesús y Purificación de Nuestra Señora
11 Febrero	Nuestra Señora de Lourdes
25 Marzo	La Anunciación
13 Mayo	Nuestra Señora de Fátima
31 Mayo	Visitación de Nuestra Señora
27 Junio	Perpetuo Socorro
Sabado de la 3ª semana de Pentecostés	Inmaculado Corazón de María
16 Julio	Nuestra Señora del Carmen
15 Agosto	Asunción de Nuestra Señora

22 Agosto	El Reinado de María
8 Septiembre	Nacimiento de la Santísima Virgen María
15 Septiembre	Nuestra Señora de los Dolores
Parte 7. Antes de la fecha de la consagración final	Por qué María es el modelo de discipulado y cómo puede ayudarte.
7 Octubre	Nuestra Señora del Rosario
21 Noviembre	Presentación de la Santísima Virgen María
27 Noviembre	Medalla Milagrosa
8 Diciembre	Inmaculado Concepción
12 Diciembre	Nuestra Señora de Guadalupe

También puede iniciar el Miércoles Santo, para consagrarse el Sábado Santo, aunque no es fiesta mariana. La Fiesta de la Santísima Virgen María, Madre de la Iglesia, es el lunes después de Pentecostés.

Los días de Fiesta Mariana, son días sagrados del año litúrgico, que se celebran debido a su importancia local, regional, nacional o internacional. Algunas fiestas celebran ciertos acontecimientos de la vida de María, mientras que otras reconocen la participación continua de María en la vida de la Iglesia. Hay cientos de días de Fiestas Marianas de todo el mundo, que pueden concluir la consagración y que pueden consultarse localmente.

VIDEOS PARA LA CONSAGRACIÓN CON EL MANTO DE MARÍA

Los videos semanales de la Serie *Consagración Mariana* de Christine Watkins y el diácono David Leatherby, aportan grandes beneficios a esta consagración maravillosa. Los dos primeros videos deben ser vistos, antes de que comience el retiro, y los otros, deben ser vistos semanalmente, en cualquier día. El último video (Parte 7) debe ser visto antes de su día de consagración final.

VIDEO	SERIE CONSAGRACIÓN MARIANA
Parte 1. Antes del Retiro	¿Qué significa la Consagración a María?
Parte 2. Antes del Retiro	Por qué el Rosario tiene tanto poder y cómo rezarlo eficazmente.
Parte 3. Semana 1 del Retiro	El poder no explotado del ayuno para cambiar nuestras vidas y las de nuestros seres queridos.
Parte 4. Semana 2 del Retiro	Por qué se necesita una virtud extraordinaria en nuestros tiempos difíciles.
Parte 5. Semana 3 del Retiro	Lo que no sabes, pero necesitas saber sobre la Confesión y el gozo.
Parte 6. Semana 4 del Retiro	¿Por qué las virtudes son tan difíciles y los vicios tan fáciles?
Parte 7. Antes de la fecha de la consagración final	Por qué María es el modelo de discipulado y cómo puede ayudarte.

CÓMO PUEDEN PARTICIPAR LOS NIÑOS

A petición de muchas Mamás, la Consagración con *El Manto de María*, ofrece un bello póster de Nuestra Señora de 61 x 91.5 cm que viene con calcomanías de estrellas o que pueden diseñar ellos mismos. Cada día del retiro, los niños pueden disfrutar pegando una calcomanía al manto de María. Cada estrella significa la ofrenda de su amor y de sus oraciones para ese día. Se anima a los adultos a explicar al niño(s) que la Virgen los ve, que los ama, que los conoce y les agradece cada vez que adornan su manto. Su ofrenda es tan real para ella como para ellos. Muchos eligen enmarcar el póster, colgándolo en su pared, como un recordatorio de su consagración a la Madre de Dios, y de su protección maternal y su cuidado por ellos.

También está disponible para los niños de todas las edades (y para los adultos que disfrutan colorear), es una página descargable para colorear la imagen de la Virgen.

Nota: Después de que hayas terminado la consagración, por favor considera enviar cualquier testimonio de los frutos recibidos a: contacto@dignidadyfamilia.org

Y de antemano gracias por sus esfuerzos en nombre del Reino de Dios. Rogamos porque siempre encuentren refugio bajo el manto de la Madre María, que los ama y los reconoce como propios.

1. Haciéndolo en forma individual

Las personas rezan un Rosario todos los días, leen una meditación diaria contenida en este libro, ven videos y ayunan cada miércoles o viernes (días tradicionales de ayuno en la Iglesia) durante los 46 días. El ayuno sugerido es a pan y agua. Si las razones de salud lo impiden, se puede ayunar con otros alimentos sencillos e insípidos, como verduras crudas y frutos secos. El enfoque de la oración y el sacrificio del ayuno es para una intención particular, o intenciones, muy queridas, según nuestro corazón. El Rosario y la lectura espiritual, pueden hacerse en cualquier orden y a cualquier hora del día, y el objetivo de la lectura es practicar la virtud de ese día, o recibir el don del Espíritu Santo de ese día.

2. Haciéndolo en pareja o en familia

Teniendo en cuenta las intenciones personales y/o colectivas, durante 46 días, los participantes rezan diariamente un Rosario, cada día, leen una meditación (juntos y en voz alta, cuando sea posible), ven los vídeos semanales y tratan de incorporar la virtud o el don del día, a la vida cotidiana. El orden y la hora en que se reza el Rosario o se lee la lectura, depende del horario de cada uno.

Cada semana, uno o más de los miembros, ayunan el miércoles o el viernes. El horario de quién ayuna, y en qué semana, es organizado por la pareja o la familia. Para los adultos, el ayuno sugerido, es a pan y agua. Si las razones de salud lo impiden, los adultos pueden ayunar con otros alimentos sencillos e insípidos como verduras crudas y frutos secos. Los niños pueden ayunar tomando sopa para la cena, ofreciendo el postre, comiendo pan tostado sin mermelada ni mantequilla, etc. Anime a los chicos asegurándoles que cuando hacen estos pequeños sacrificios, están haciendo algo muy hermoso y poderoso para Dios.

Es unificador, si las parejas pueden rezar juntos, un Rosario completo, pero a veces los horarios y las situaciones de cada uno no lo permiten. En tales casos, el Rosario puede ser rezado por separado o solamente por uno de los cónyuges. Los adultos deben leer las Escrituras, las citas de los santos y el Diario de cada día, en el *Diario de Oración para la Consagración con el Manto de María.* Los pequeños que no están acostumbrados a rezar un Rosario completo todos los días, pueden participar en una o dos decenas, y escuchar a su(s) padre(s) o su(s) cuidador(es) decir el resto, pero no se les obliga a hacerlo. Los niños disfrutarán coloreando la página de fotos del Manto de María y/o agregando una calcomanía de una estrella al día al manto de la Virgen en el hermoso póster de su Manto. Mira en páginas anteriores "Cómo pueden participar los niños".

3. Haciéndolo en grupo o en tu parroquia

Además de la información proporcionada más abajo, por favor consulte las instrucciones detalladas y la lista de verificación para el líder del grupo o de la parroquia en www.queenofpeacemedia.com/el-manto-de-maria y haga clic en "Instrucciones para el Coordinador del Grupo o Parroquia".

La Consagración con *El Manto de María*, hecha en grupo o en parroquia, proporciona un medio inspirador y organizado, para consagrar a un gran número de fieles a María, e interceder colectivamente por una intención particular. Los conflictos y diferencias en los grupos y las parroquias pueden disolverse, el mal dentro de las comunidades puede ser erradicado, y la Iglesia Católica puede experimentar la sanación y la unificación, a través del poder incomparable de la oración y el ayuno en común. Es también un retiro ideal para las personas que se sienten alienadas de la comunidad debido a que están encerradas en sus hogares o restringidas a solo comunicación en línea. Propicia el surgimiento de amistades y sentido de comunidad.

Es ideal, terminar la consagración, en un Día de Fiesta de Nuestra Señora. Algunos grupos o parroquias eligen comenzar el programa el 28 de octubre, y terminar en la Fiesta de Nuestra Señora de Guadalupe, el 12 de diciembre. Otros, eligen un Día de Fiesta, de especial importancia para su parroquia. El programa de 46 días es particularmente apropiado para una observancia colectiva de la Cuaresma, porque hay 46 días, desde el Miércoles de Ceniza hasta el Sábado Santo.

El coordinador, tal vez desee organizar una reunión, para las charlas semanales en vídeo, seguidas de preguntas de debate en grupo, que se encuentran en línea: haga clic en *Video Discussion Questions* (Preguntas de reflexión descargables para los videos semanales) en www.queenofpeacemedia.com/el-manto-de-maria. El coordinador, también puede optar por reunir a las personas, para el último día del retiro, cuando se recita la oración de consagración final y se firman los certificados de consagración.

Para empezar, el coordinador asignado, junta con los ayudantes, un grupo desde siete hasta un par de cientos de personas. En este formato, el coordinador envía diariamente correos electrónicos o mensajes por WhatsApp a los participantes, y se asegura de que obtengan una copia de este libro, *El Manto de María.* El *Diario de Oración para la Consagración* es opcional. Los participantes, también pueden pedir la página para colorear el Manto de María y/o el hermoso póster del Manto de María, en el que los niños pueden pegar diariamente una calcomanía, con una estrella al manto de la Virgen, disponible en www.queenofpeacemedia.com/el-manto-de-maria.

Los participantes del retiro son llamados "Estrellas" y ofrecen sus oraciones y ayuno, por todos los participantes, por sus seres queridos y por la intención colectiva del grupo. Los correos electrónicos o mensajes WhatsApp diarios, recuerdan a los participantes la intención de la oración; la virtud o el don diario que hay que leer y meditar; además, qué persona o Estrella está asignada para ayunar ese día; y qué Estrella ayunará al día siguiente. En el día de ayuno de cada participante, todo el grupo recordará a esa persona en sus oraciones del Rosario.

Hacer en este formato la Consagración a Nuestra Madre Celestial con *El Manto de María,* enriquece la experiencia personal de cada uno de los participantes. Cada persona se convierte en una Estrella en el manto de Nuestra Señora mientras todo el grupo ora por él o ella con su nombre.

En su libro, *El Secreto del Rosario,* San Luis María de Montfort escribió: "*Quien reza su Rosario solo tiene el mérito de un solo Rosario, pero si lo reza junto con otras treinta personas, tiene el mérito de treinta Rosarios... En la unión está la fuerza*". Cuando la preparación para la consagración se hace de esta manera, imagina la alegría que le da a María, y la Gloria que le da a Dios.

En un grupo con 46 personas participando, cada persona, recibe los méritos de 2,116 Rosarios y 46 días de ayuno. Este efecto multiplicador espiritual, será aún mayor, para grupos más grandes. ¡Los milagros, seguramente sucederán!

Al principio de los 46 días de oración y ayuno, ninguna estrella estará iluminada en el manto de María, pero al final, su manto brillará con fuerza, ¡gracias a todos los que participan!

DÍA 1:

DÍA 46:

ORACIÓN INICIAL

Oh, Madre Santísima, a quien amo tiernamente como si fueras mía, en tu sagrada presencia, te ofrezco estos días de preparación, para la consagración, en honor de las estrellas que adornan tu manto celestial. Te pido que intercedas estos 46 días por todas mis necesidades, por las de mis seres queridos y por [aquí tus intenciones]. Por favor, muéstrame la dulce compasión que le mostraste a San Juan Diego, tu mensajero. Por favor, dame un corazón puro y virtuoso, como el tuyo, para que pueda obtener el mismo consuelo—el alivio de mis dolores y la elevación de mi alma—que Juan Diego recibió de las gentiles palabras que le diste hace siglos:

"Escucha, y ponlo en tu corazón, hijo mío el menor, que no es nada lo que te asusta y aflige. Que no se perturbe tu rostro, tu corazón. No temas esta enfermedad, ni ninguna otra cosa punzante y angustiosa. ¿No estoy aquí yo, que soy tu madre? ¿No estás bajo mi sombra y protección? ¿No soy yo, la fuente de tu alegría? ¿No estás en el hueco de mi manto, en el cruce de mis brazos? ¿Tienes necesidad de alguna otra cosa?"

ADORNEMOS
EL MANTO DE MARÍA CON ESTRELLAS

MEDITACIONES SOBRE LAS VIRTUDES Y LOS SIETE DONES DEL ESPÍRITU SANTO

1ª Estrella GRATITUD

Comencemos esta consagración al Manto de María, preparándonos con una oración:

Moldea mi corazón, Señor Jesús, y despierta en mi alma los sueños de la humanidad establecidos desde el principio de los tiempos. En Tus ojos brillan las esperanzas de los siglos, la risa de los niños pequeños y el brillo de las galaxias.

Renueva en mí, Espíritu Santo, las fuerzas de los vientos divinos. Tú que coloreas al mundo con belleza, deslumbras al ojo con asombro y bailas en cada canción de cuna, respira en mí.

Padre de ternura, haz de mi voz una nota en Tu sinfonía, de mis movimientos una parte de tu baile, de mis pensamientos el prototipo de tu mente.

Santísima Trinidad, lléname de Tu insaciable deseo de captar almas. Llévame a Tus perdidos y a Tus pobres, y con los brazos extendidos y con lágrimas, cambia mi corazón por el tuyo.

Expandiendo el fuego, la luz incomprensible y la alegría más allá del éxtasis, todo mi ser está lleno de acción de gracias porque Tú me trajiste a la vida con un sólo pensamiento de amor. Me creaste, pequeño e insignificante, para darme alturas por encima de los ángeles. Vengo de la nada y te ofrecí tan poco; sin embargo, Tu recompensa para mí es un lugar más allá de los sueños, una vivienda luminosa en una tierra de paz perpetua.

2ª Estrella COMPROMISO

Intentar. Esta palabra encierra todo lo que Dios nos pide. Sólo inténtalo. Dios está consciente de nuestras limitaciones, de nuestras inseguridades, de nuestras imperfecciones y defectos personales. Él lo sabe. No hay necesidad de que lo escondamos. Intentar, de alguna manera, resguardarse del Dios de la verdad, de quienes somos, es una demencia y una locura; más bien, debemos todos nosotros, exponernos al Señor y amarlo tal y como somos. Si esperamos a que seamos faros de perfección para amarlo, nunca lo haremos. La santidad no se forja con el hábito de arrojar nuestros defectos a un armario oscuro o meterlos apresuradamente debajo de la cama antes de arrodillarnos para orar. Surge del trabajo de exponer continuamente nuestras debilidades en la contemplación y en la confesión, donde la oscuridad se desvanece con la luz, y la fealdad se desvanece con la belleza.

Levántate cada mañana y ve en busca del Rostro del Señor, incluso si Su mejilla parece desvanecerse en el momento en que alcanzas a tocarla. Inténtalo. Somos pozos de agua sin fondo, hechos a imagen, medida y semejanza de Dios.

Un número infinito de finitos nunca nos podrá satisfacer; solo lo que es infinito puede llenar y desbordar un pozo que es tan profundo. Sin embargo, somos seres paradójicos, siempre corriendo detrás de otras criaturas y cosas de este mundo, cuyas medidas no corresponden a las nuestras. Por esta razón, estamos inquietos e insatisfechos. Sin darnos cuenta, que estamos buscando agua en paisajes desiertos y persiguiendo sombras en busca de la luz eterna.

Levántate cada mañana y comprométete a la santidad, el único viaje que vale la pena recorrer. En cada esfuerzo, en cada momento, procura imitar al Señor. Intenta. Dios nos ve y nos aplaude cuando recogemos nuestras cruces y vencemos nuestras debilidades y nos sujeta cuando caemos en el intento. Él ve que queríamos amarlo, pero nuestra carne miserable no nos permitió expresar plenamente nuestro amor. Reúnan sus cruces destrozadas y vuelvan a intentarlo. Eso es todo lo que Él nos pide. Es cuando estamos tratando de amarlo que brillamos en los ojos del Cielo. Es cuando estamos tratando de amarlo que Él convierte nuestra fragilidad en fuerza. Es cuando estamos tratando de amarlo que Él está cerca, a nuestro lado, ofreciéndonos su hombro para apoyarnos.

La única forma de fallar es cuando no lo intentamos.

3ª Estrella AMOR

(Una de las tres virtudes teologales)

Donde hay amor, está Dios, porque Dios es amor. Pero esta palabra "amor", es muy frecuentemente mal entendida, mal utilizada y malversada. Durante gran parte del tiempo, cuando creemos que amamos, en realidad, nos complacemos a nosotros mismos.

Podría dedicarme incansablemente a luchar por una causa justa, y seguramente a quienes libere de la opresión dirán: "¡Esta persona nos ama mucho a todos!". Podría donar sumas importantes de dinero, pero ¿y si no me lo agradecen? Mis motivos, conscientes o no, podrían ser, para ganar poder, popularidad, un buen nombre, para ser apreciado o un héroe a los ojos de alguien. ¿A quién o qué ame? ¿Serví a la gente o a mí mismo?

Digo que amo a mi amiga, pero si escucho un día que ella traicionó mi confianza, y juro ¡"Ella ya no es mi amiga"! De hecho, he cerrado de golpe para siempre, las puertas del amor y la confianza. ¿Quién amaba a quién? ¿Realmente amaba a mi amiga o en ella me amaba a mí mismo? ¿Cómo podría amarla un día y al siguiente no? ¿Es así como Jesús la ama?

Todo depende de nuestras intenciones. El mismo trabajo que realizo con caridad desinteresada también podría realizarse para satisfacer el narcisismo y la codicia. Esto puede suceder sin que otro, o tal vez, incluso yo mismo, reconozca la diferencia.

El verdadero amor se prueba en la cruz. El amor de Dios por nosotros es el mayor poder que existe en la tierra, una fuerza infinitamente más formidable que cualquier otra, y en ninguna parte, el amor de Dios se manifestó más que, cuando estaba colgado impotente en la Cruz. Si no amamos la cruz, nuestro amor por Dios y por los demás es superficial, incluso, tal vez autocomplaciente. Muy a menudo, esto es, solo amor humano.

El amor requiere sacrificio, y el amor a Jesús y a nuestro prójimo cuesta mucho. A menudo no nos damos cuenta de que no seremos felices hasta que aprendamos a abrazar y amar la cruz. Esto es lo que hizo Jesús, y lo que nos pide que hagamos. La cruz es dura y fría, como el mundo; pero podemos hacernos suaves y cálidos al cargarla. Estamos llamados a amar a Dios y a nuestros hermanos, hasta la última palabra de la voluntad de Dios, incluso si esto significa, dar nuestra vida por Él.

Debemos enfocar nuestras vidas al mundo desinteresadamente. Y en el amor desinteresado, disfrutaremos la vida eterna.

4ª Estrella CONFIANZA

"*No te preocupes*"... "*No temas*" es el mensaje más grande que Dios nos da a través de Su Palabra, más que cualquier otro.

Él, que nos creó, tiene un plan en mente. En cada alma vive una vocación, ya sea incrédula, dormida en distracciones o despierta y decidida y palpitante en su propósito.

¿Podría Dios esperar que hagamos Su voluntad mientras Él nos oculta el camino? ¡No! Siempre, en el misterio de Su momento oportuno, Él nos revela el siguiente paso... y el siguiente, a través de pequeñas inspiraciones y empujones suaves, y si no a gritos resonantes. Un corazón en sintonía con Dios sabe esto. *"Mis ovejas escuchan mi voz, Yo las conozco, ellas me siguen"* (Juan 10: 27). No es nuestra vocación o nuestro deber el planificar nuestras vidas controlando hasta el último detalle—una tarea que puede llenarnos de orgullo y presunción. Nuestro trabajo es rezar y seguir la huella que Dios nos deja.

Por ahora, solo se necesita una cosa: amar a Dios con todo lo que tenemos y amar a los demás como a nosotros mismos. Si gastamos nuestro día en la agitación del mañana, la Voluntad de nuestro Padre se desvanecerá en las nubes de las preocupaciones. ¿Acaso nuestros ojos miraron al hombre que viajaba en el autobús? ...estaba desesperado por un saludo amable! ¿Nuestros oídos escucharon al Espíritu que nos inducía a hablar con nuestro compañero de trabajo? ...necesitaba una corrección fraterna! ¿Nos dimos cuenta de la chica sentada en la acera? ...estaba hambrienta de la Palabra de Dios porque nadie le había dado este alimento! ¿O acaso estábamos tan perdidos en nuestros ansiosos pensamientos sobre el plan de Dios para nuestras vidas que descuidamos hacer todo eso?

¡Cómo sufre Dios cuando nos ve tan agitados y disgustados! Cómo trata de tranquilizarnos cuando Él escucha nuestros miedos. Incluso después de darle a Él nuestras preocupaciones, podemos atraer nuestros asuntos de regreso, como la hija que reclama impertinentemente que puede cocinar mejor que su madre y se apodera de la cocina, causando un lío inesperado.

Nuestra preocupación literalmente ata las manos de Dios. Pero cada acto de confianza completo y ciego las desata, causando el mejor efecto posible, porque Dios puede lograr lo que ningún ser humano es capaz de hacer. Es cuando verdaderamente liberamos nuestras preocupaciones al Señor y descansamos nuestra cabeza en su regazo en paz, ya que Él puede realizar para nosotros el más glorioso de los milagros.

5ª Estrella GENEROSIDAD

Sin confianza en Jesús, la generosidad causa angustia. Si no tenemos confianza en Aquel que nos dará lo que necesitamos cuando lo necesitamos, fácilmente rechazamos o descartamos la advertencia espiritual de que el pan que ganamos con el sudor de nuestra frente nunca es destinado únicamente para nosotros. Lo que se nos da y de lo que somos dueños proviene en última instancia de la magnánima Mano de Dios, y esta Mano está destinada a distribuir nuestras riquezas y bienes como Dios lo considere oportuno: generosamente. Sin embargo, podemos todavía creer que lo que ganamos es nuestro para aferrarnos a él o gastarlo como nosotros libremente queramos. ¿No es eso lo que el mundo nos ha enseñado? Que debemos "ganarnos la vida".

La falta de comprensión del propósito de las riquezas y de los bienes materiales, y la falta de confianza en el Dios Dador conspiran para estrangular las inspiraciones de generosidad. Cuando los temores de la escasez y del querer callan al Espíritu, cuando escogemos las comodidades con los brazos inconsistentes del materialismo y del dinero, hemos anclado nuestra esperanza a una ilusión al igual que las olas del océano tropical que se deslizan suavemente sobre la playa, llegan y nos acarician, pero luego, tan rápido como vienen se van.

El alma anhela la permanencia, una fuente interminable de consuelo y seguridad, "donde no hay polilla ni herrumbre que los consuma, ni ladrones que penetren y roben" (Mateo 6:20b). Sólo una gran confianza en el Dador de la riqueza espiritual y material puede desencadenar el alma y liberar el gozo de la generosidad. Esa alma vive sabiendo y conociendo la providencia y provisión de Dios Todopoderoso.

Cuando damos a una noble organización de caridad, a nuestra iglesia, a los hambrientos, a los que no tienen hogar, o nos enfocamos en ayudar a los demás, o donar nuestros bienes, Alguien está a nuestro lado. Alguien está allí, inspirando nuestra mano y nuestro corazón a la magnanimidad. ¿Este Alguien nos desea daño? Claro que no. Sin embargo, eso es precisamente lo que tememos. Tenemos miedo de que al dar lo que tenemos, no tendremos lo suficiente; que en el mejor de los casos sufriremos, y en el peor de los casos, caeremos en la ruina.

¿De quién es la boca que susurra este frío aliento de miedo? Es la misma voz que se encuentra en la parábola del tonto rico y orgulloso: *"Voy a hacer esto: demoleré mis graneros, construiré otros más grandes y acumularé allí todo mi trigo y mis bienes, y diré a mi alma: Alma mía, tienes bienes almacenados para muchos años; descansa, come, bebe y pásalo bien"*. (Lucas 12:18-19). Esta voz es un grito lejano de la voz de Dios que dice: *"Insensato, esta misma noche vas a morir. ¿Y para quién será lo que has amontonado? Esto es lo que sucede al que acumula riquezas para sí, y no es rico a los ojos de Dios"*. (Lucas 12:20-21).

Si llevamos el sello del Señor, preferimos sucumbir al hambre que ceder la luz de Dios al enemigo. Morir de hambre y vivir para siempre en la plenitud de Dios es mucho más preferible, que deleitarse en la tierra y vivir para siempre en el fuego eterno y con hambre.

¿No nos impresionan los héroes y los santos como hombres y mujeres que han alcanzado las cumbres de la entrega personal? ¿Cuáles son los límites de la generosidad? Puesto que la virtud está enraizada en el amor, este interrogante equivale a preguntar: "¿Cuáles son los límites del amor?" Para la mente calculadora, la magnanimidad parece dolorosa. Pero para el corazón generoso, la avaricia parece incomprensible. La codicia nos empobrece, mientras que la verdadera generosidad nos enriquece cien veces más. Dentro de cada alma hay una sobreabundancia de verdadera riqueza, y no liberarla nos cuesta lo que somos. "*En verdad os digo, si el grano de trigo no cae en tierra y muere, queda solo; pero si muere, da mucho fruto*" (cf. Juan 12:24-25).

"Sepan que el que siembra mezquinamente, tendrá una cosecha muy pobre; en cambio, el que siembra con generosidad, cosechará abundantemente. Que cada uno dé conforme a lo que ha resuelto en su corazón, no de mala gana o por la fuerza, porque Dios ama al que da con alegría". (2 Corintios 9:6-7).

Cuando damos de nuestros recursos y de nuestro dinero, Jesús está allí. Él ve, como cuando estaba en Jerusalén: “"*Alzando la mirada, vio a unos ricos que echaban sus donativos en el arca del Tesoro; vio también a una viuda pobre que echaba allí dos moneditas, y dijo: «De verdad os digo que esta viuda pobre ha echado más que todos. Porque todos éstos han echado como donativo de lo que les sobraba, ésta en cambio ha echado de lo que necesitaba, todo cuanto tenía para vivir.»*" (Lucas 21:1-4).

Cuando se trata de generosidad, ¿qué dice Jesús de ti?

6ª Estrella TENACIDAD

Cuando perdemos nuestro anhelo tenaz de una vida privada con el Señor, Dios se siente más distante. Ya no es la causa de nuestra emoción, se convierte en una idea abstracta--- una palabra que tiene cada vez menos y menos significado. Él ya no es ese Alguien especial.

Nadie permanece emocionado por mejorar como persona, a menos que sepa que eso es posible; a nadie le gusta fantasear con viejas conjeturas. A medida que disminuye la oración, también lo hace la fuente de la alegría verdadera, y cuando hay poca o ninguna satisfacción o percepción de beneficio, hay menos deseo por estar con Dios.

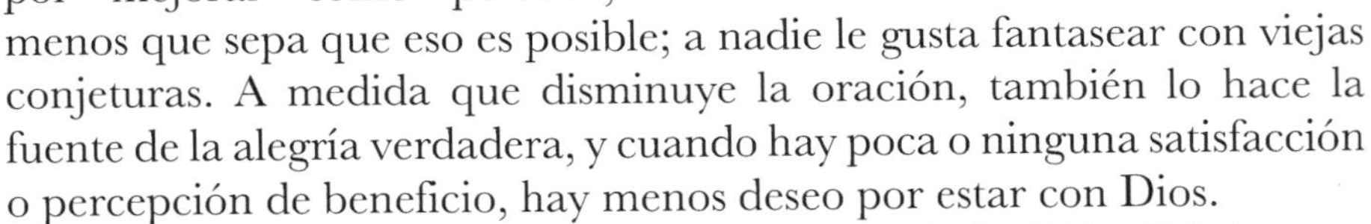

En su principio y fundamento, el centro de la Vida Cristiana es Dios. Así que, cuando Dios deja de ser el centro de gravedad, el "yo" se eleva con todas sus demandas egoístas, dejando al alma frágil, impaciente, rígida, pecaminosa, e irritable. El único que puede controlar estas demandas implacables ha sido abandonado, e inevitablemente descendemos a lo largo de una espiral de desencanto. Cuando la oración es abandonada, grandes vacíos se abren automáticamente en todas partes, y basados en la *ley del remplazo*, todo tipo de compensaciones establecen su campamento. Y aunque Dios lo intenta, ya no logra despertar gozo en nuestros corazones. porque no queda espacio para Él.

Muchos han sido predispuestos con una especial sensibilidad a lo divino, con una extraordinaria capacidad mística, que, si lo hubieran cultivado diligentemente, hoy serían estrellas de primera magnitud en la Iglesia. Mientras tanto, vegetan en la mediocridad y en el descontento, no porque la gracia les haya fallado, sino porque no se han aferrado tenazmente a Dios. Sin embargo una práctica regular y ordenada de la oración —incluso en medio de estruendosas tentaciones, severa aridez, incomodidad e innumerables temores— eventualmente podrá hacer brotar y crecer semillas espirituales. Pero en lugar de convertirse en árboles fuertes y frondosos, de quince metros de altura, dando a muchos otros refugio y sombra, estas personas siguen siendo arbustos frágiles de solo 1.2 metros de altura... imaginen su profundo descontento.

Cuando un cristiano deja de orar, Dios se desaparece, no en Sí mismo, sino en esa persona. Para un cristiano, y más aún para un discípulo militante, la tenacidad en la oración es asunto de vida o muerte.

7ª Estrella PERSISTENCIA

Una Oración en depresión y soledad. . .

Señor, me siento muy triste, y extraño los tiempos pasados. La noche oscura ha descendido y ocultado Tu luz. Mis entrañas están retorcidas en enredaderas espinosas. La confusión es mi pan de cada día. Busco a un amigo verdadero y busco alcanzar mis sueños, mientras que mi espíritu languidece en conversaciones forzadas y distracciones banales. Estoy solo.

Mis esfuerzos más poderosos no me llevan a ninguna parte, y mis manos se extienden para tocar el fracaso. Mi familia es un hogar de extraños, nuestra unidad se dividió en facciones de silencio y desprecio. ¿Dónde está Tu Buena Nueva? ¿No hay nada para mí? Cuando me aferro a Ti, no puedo sentirte. Cuando hablo contigo, no puedo oírte. Dices que estás ahí, pero eres tan escurridizo como un amanecer a medianoche o una hoguera en la tundra helada.

Padre, no me retires Tu mano. Por la noche no cierres tus oídos a mis gritos silenciosos. ¿Cómo puedes ser mi luz cuando no puedo verte? ¿Cómo puedes ser mi roca cuando no puedo sentirte bajo mis pies? El suelo bajo mis pies está temblando y quebrándose, y el cielo de arriba oculta las estrellas. ¿Adónde Te fuiste? La oscuridad, me asusta, y te necesito. Dame al menos una señal, una pequeña pista de que Te preocupas, de que Tú existes.

Una vez Te sentí tan cerca como para llenar mis pulmones con Tu aliento, pero ahora me siento caído, como una pelota sin aire. Sin embargo, en este viaje de tristeza aterradora y horas sin sentido, daré un paso adelante, y mañana otro. Persistiré porque mi desolación no es verdad y las sombras mienten. Más allá de mi mente destrozada hay una vida hermosa y un hermoso "yo" que no puedo ver, pero Tú sí, mi Señor. Tú sí.

8ª Estrella PERDÓN

Raramente sucede que alguien trate de ofenderme y sin embargo a menudo me siento ofendido. Y yo te pregunto Señor: cuando me siento indignado, ¿quién sufre? ¿aquellos que no me agradan, o yo cuando son ellos los que no me agradan? Mi amargura me está comiendo, destruyéndome como un cáncer, mientras que mi enemigo ajeno a mis sentimientos duerme pacíficamente.

Los resentimientos agudos perforan mi corazón y reclaman mis pensamientos mientras revivo el pasado, tratando de cambiar lo que ya está pavimentado con piedra. Ayúdame a dejar de pelear en la sombra con un enemigo que ya no está allí.

Estoy sufriendo innecesariamente. Señor, por favor ayúdame a dejar de lanzar piedras mentales de mala voluntad, día y noche. Mis heridas son profundas y no puedo acabar con esta locura sin Ti. Yo sé que alimentar y remover el rencor, es una locura. ¿Existe alguna fatiga tan inquietante como la producida por el resentimiento? ¿Existe alguna liberación tan dulce como el suspiro tranquilo del perdón?

Por favor, perdona todas mis ofensas, como yo perdono a los que me ofenden.

Un ejercicio de perdón: adoptando el Corazón de Jesús.

Sentado en silencio y en calma, colócate en el mundo interior de Jesús. Identifícate con todo Su ser, de tal manera que Su Espíritu viva en el tuyo. Tus pensamientos se convierten en Sus pensamientos; tus ojos se convierten en Sus ojos; tu corazón en Su corazón.

Ahora coloca ante ti, en los ojos de tu mente, a tus enemigos, y trata de verlos a través de los ojos de Cristo. Siente hacia ellos lo que Jesús siente; llega a abrazarlos como lo haría Jesús. Rodéalos con los brazos del Señor, como si no hubiera separación entre tú y los movimientos de Dios. En una intimidad sagrada, como si Jesús y tú fueran un solo ser, perdona, comprende, y durante mucho tiempo sostén a tu enemigo en tus brazos hasta que sientas una gran paz.

9ª Estrella

PERSEVERANCIA

Persevera, amigo mío, persevera.

Sigue creyendo en la bondad, en la bondad extrema, cuando el mal ha tenido su día.

Sigue bajando tu cubeta al pozo de la oración, a pesar de que no hayas obtenido una gota.

Sigue levantándote cada mañana, aunque tus extremidades se nieguen a moverse.

Sigue buscando el significado del sufrimiento inevitable, cuando nada tenga sentido.

Sigue tirando tu red al mar de las almas perdidas, aunque ningún pez la muerda.

Sigue desempeñando tus labores, incluso si la monotonía del trabajo enfría tu espíritu.

Sigue trabajando más allá de los fracasos, decepciones, y desviaciones, presionando hacia la meta final.

Persevera, amigo mío, persevera, porque la noche oscura está terminando, el amanecer está surgiendo en el horizonte, y el sol pronto saldrá.

10ª Estrella
ACEPTACIÓN

El ser humano, sin haberlo deseado o intentado, se encuentra en la Tierra. Él no eligió a sus padres. Tampoco su aspecto o su ciudad natal. Esas realidades que nunca quiso o nunca eligió pueden convertirse en su maldición, en frustración, liberando en su mente agresión emocional para atacarlas y destruirlas.

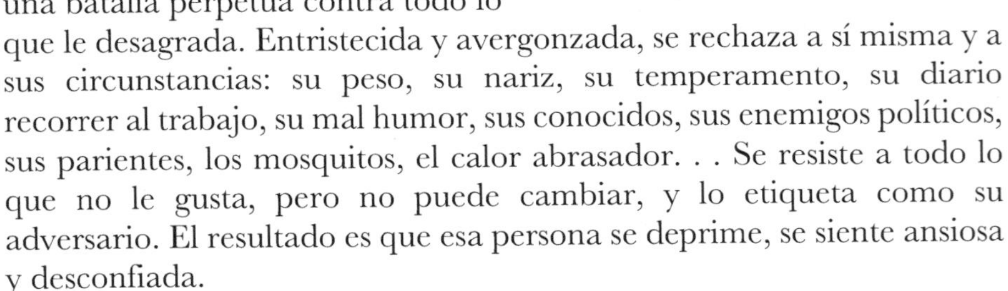

Una persona puede vivir en una batalla perpetua contra todo lo que le desagrada. Entristecida y avergonzada, se rechaza a sí misma y a sus circunstancias: su peso, su nariz, su temperamento, su diario recorrer al trabajo, su mal humor, sus conocidos, sus enemigos políticos, sus parientes, los mosquitos, el calor abrasador. . . Se resiste a todo lo que no le gusta, pero no puede cambiar, y lo etiqueta como su adversario. El resultado es que esa persona se deprime, se siente ansiosa y desconfiada.

Si yo aborrezco mi reflejo en el espejo, es mi enemigo. Si yo rechazo la voz chillona de mi vecino, es mi enemigo. Mis adversarios, por lo tanto, viven dentro de mí en la medida en que les doy vida a través de mi resistencia a aceptarlos.

Sin embargo, dentro de uno también hay amigos. La primera etapa de libertad interior implica hacerme amigo de mí mismo. Si acepto mis ojos envejecidos o mi extraño modo de andar, esos se convierten en mis amigos. El problema no es mi lentitud en las matemáticas o la incapacidad para hablar de manera convincente, sino mi rechazo a mis déficits y fracasos. No importa lo odioso que el otro pueda ser; si lo abrazo, él es mi amigo. La aceptación, de esta tormenta inoportuna se convierte en tormenta de hermanos; este virus de la gripe se convierte en gripe hermana. Y si acepto el final de mi vida, me habré hecho amigo de la muerte. Por lo tanto, no importa quién soy o las circunstancias de mi existencia, yo puedo elegir vivir en el fuego cruzado de una zona de guerra de mi propia creación, o dentro de los límites de un bosque pacífico y templado.

El poder está dentro de mí para aceptar o rechazar aquellas cosas que no puedo cambiar; por lo tanto, la alquimia necesaria para convertir el mal en bien, está en mis manos.

11ª Estrella
PACIENCIA

La paciencia comienza con saber y aceptar pacíficamente que estamos esencialmente limitados. Deseamos ser y hacer algo grande; pero en esta vida somos capaces de alcanzar poco, y aquello que logramos con gran esfuerzo producirá resultados limitados. Aquí nace la verdadera sabiduría y humildad, si podemos aceptar nuestra naturaleza limitada. Incluso los grandes santos desconocían su propia grandeza y deseaban haber sido capaces de hacer y ser mucho más.

La ilusión conduce a la desilusión. Mirando a las estrellas, reflexionando en el universo, contemplando los logros infinitos y atributos del Todopoderoso, ¿cómo podemos sentirnos algo menos que pequeños? En realidad, volamos muy bajo en comparación con las alturas divinas de Jesús.

¿Te entristece nuestro estado? No. ¿Estás avergonzado de quiénes somos? Nunca. La clave pacífica que resiste el lento progreso de la santidad en nosotros mismos y en los demás, y acepta el momento oportuno de Dios en el mundo, es la paciencia.

Una mujer plantó trigo en un campo extenso. A la semana siguiente regresó y vio que nada había brotado. Le pareció que las semillas habían muerto en el ataúd de la tierra. Decepcionada, regresó dos semanas después solo para encontrar lo mismo… ningún signo de vida. Entonces pasaron cuatro semanas y mientras entraba en el campo se alegró al ver, que tímidamente unos tiernos brotes verdes se habían asomado de la tierra. Al correr del tiempo varios centímetros de nieve invernal se apilaron en la parte superior de los incipientes tallos, aplastándolos bajo su peso. Pero las plantas de trigo perseveraron.

Luego vino una helada terrible, implacable que amenazaba destrucción. El trigo no podía crecer y perdió muchas de sus hojas, pero también se aferró obstinadamente a la vida. Finalmente llegó la primavera y el trigo comenzó a respirar. Con el tiempo, los valientes tallos comenzaron a crecer erguidos por el sol. Pero de un mes a otro, su crecimiento fue tan lento que la mujer no podía ver ningún cambio. Pasaron unos meses y ella regresó, para su sorpresa y alegría, extendiéndose ante ella y sobre el horizonte, estaba un majestuoso e inmenso campo de trigo dorado, balanceándose con la brisa.

Ya sea como el trigo o como la mujer de este cuento, uno puede experimentar en el futuro todas las inquietudes preocupantes del mundo y sentirse incapaz de hacer que el trigo crezca un día antes o un centímetro más alto. Pero la paciencia lo logra todo.

12ª Estrella HUMILDAD

Cuando yo sienta el deseo de que los demás hablen bien de mí, recordaré cómo Jesús rechazó todo el elogio y la fama cuando Él curó a los enfermos y multiplicó los panes. Me recordaré yo mismo de cómo Su madre, la más alabada y primorosa de todos los seres humanos, vivió sus días con un amor callado, sin arrogancia, sin llamar nunca la atención sobre sí misma.

Cuando desee riqueza y comodidad, pensaré en el desafío del Señor: Jesús respondió: *"Los zorros tienen sus cuevas y las aves del cielo sus nidos, pero el Hijo del hombre no tiene dónde reclinar la cabeza"* (Lucas 9:58). Seré dócil con Su advertencia: *"Pero ¡ay de ustedes los ricos, porque ya tienen su consuelo!"* (Lucas 6:24).

Cuando busque satisfacer mi apetito por el materialismo y la comodidad, reflexionaré sobre la vida diaria de María, una mujer pobre y humilde de una nación subdesarrollada, que tuvo que cargar y traer agua en un cubo pesado, cortar y romper ramas para la leña, cuidar pollos y cabras y moler el trigo con piedras. La Reina del Cielo y de la Tierra no tenía calefacción, ni aire acondicionado, ni aspirinas para un dolor de cabeza. Su reinado fue sin sirvientes personales y no tuvo manos suaves y delicadas.

Cuando me dé cuenta de que estoy desperdiciando mi precioso tiempo cuidando de mí mismo, recordaré que Jesús nunca actuó de esta manera. Vivió su vida exclusivamente para los demás, renunciando a Sus ventajas de ser Dios, sometiéndose a Sí mismo a la vida ambulante de un pobre carpintero y eventualmente a una violenta muerte prematura. Cuando piense en ponerme primero, volveré mis pensamientos a María, quien fue rápidamente en mente y cuerpo a ayudar a los necesitados: . . . *"En aquellos días, María partió y fue sin demora a un pueblo de la montaña de Judá. Entró en la casa de Zacarías y saludó a Isabel"* (Lucas 1:39-40). "*Y como faltaba vino, la madre de Jesús le dijo: «No tienen vino»". (Juan 2:3).*

Cuando enfoque mis talentos en torno a mis propias metas y deseos y me niegue a preguntarle a Dios cuál es Su voluntad para mi vida, traeré a la mente el sí de María, que comenzó con la Anunciación y no tuvo mayor expresión que su presencia silenciosa en la Crucifixión: *"Yo soy la servidora del Señor, que se cumpla en mí lo que has dicho"* (Lucas 1:38). Y diré, como Jesús en el Huerto de los Olivos, "*. . . Pero que no se haga mi voluntad, sino la tuya*" (Lucas 22, 42).

Cuando mi orgullo ruja dentro de mí, insistiendo en que mi ego sea alimentado y mi voluntad satisfecha, recordaré que sólo soy verdaderamente grande cuando soy más humilde.

13ª Estrella CONOCIMIENTO
(Uno de los siete dones del Espíritu Santo)

Una cosa es hablar de un montón de nieve; pero caerse de cabeza en uno de ellos es totalmente otra experiencia. Una cosa es tomar una foto de una madre mirando amorosamente a los ojos de su hijo; otra sin duda es ver a través de los ojos de esa madre. Tener el concepto mental de una fiebre no es lo mismo que sufrir una. Aprender por qué los pájaros vuelan no es lo mismo que volar a través del aire con las alas extendidas. Y simplemente leer la Sagrada Escritura no significa que la vivimos con el corazón.

Dios, también, no es un concepto, una teoría, o una teología. Él es un Ser, alguien a quien puedes conocer y seguir a través de una relación basada en la experiencia. Los hechos y los versos, almacenados y memorizados, no hacen a un profeta. Una persona catequizada puede expresar los artículos de la fe claramente, incluso poéticamente; pero un testimonio profético también está formado a partir de encuentros solitarios y prolongados, cara a cara, con el Señor. Los mejores amigos de Jesús se forjan de rodillas, diariamente, en la oración intensa. Estos son los que ven todo el espectro de cosas creativas en la medida en que nos llevan a Dios; que pueden discernir la vida a través de los ojos de lo sobrenatural. Estos son los discípulos que la Iglesia necesita y desea.

Te pido, Señor, que me ayudes a ser uno de Tus verdaderos profetas. Ayúdame a buscar siempre Tu presencia y Tu abrazo íntimo. Si no lo hago, nunca te conoceré.

14ª Estrella MANSEDUMBRE

"*Carguen sobre ustedes mi yugo y aprendan de mí, porque soy paciente y humilde de corazón, y así encontrarán alivio.* (Mateo 11: 29). La mansedumbre es una virtud que sólo Jesús inculcó, y que ningún filósofo antiguo parece haber entendido y menos, recomendado. Incluso nuestro uso moderno de "manso" puede estar dominado por un sentido de debilidad, de cobardía, o para complacer a la gente. En boca de Jesús, no es eso. Ser manso es ser una roca espiritual. En el sentido evangélico, mansedumbre es humildad, resignación, sumisión a la Voluntad Divina sin murmurar o de mal humor. Es suavidad de temperamento, suavidad en el trato con los demás, y paciencia bajo las dificultades, contratiempos y heridas. Quién es manso no se provoca o se irrita fácilmente.

Como resultado de nuestro nacimiento en el mundo, nos creamos una falsa ilusión de quiénes somos, y por esta mentira que nos creemos pasamos la vida anhelando, luchando y sufriendo. A merced de nuestras heridas y según sea nuestra propia imagen elogiada o rechazada, nuestros estados de ánimo van del júbilo a la depresión lo cual puede ser fuente de una gran inestabilidad emocional y dolor. Mientras que la persona dócil lucha por dominar al feroz león del ego humano que es la fuente de sus reacciones infantiles y actitudes irrazonables—la bestia que busca defenderse y glorificarse a toda costa.

Nuestro mayor ejemplo humano de mansedumbre es Nuestra Señora. Para ella, el artificio del ego nunca fue parte de su existencia.

Nunca reclamó algo para ella misma, porque su ego estaba muerto. Si María era alabada, ella le daba toda la gloria a Dios; si era calumniada, no le significaba nada; si recibió comida, ella lo agradeció a Dios; si ella pasó hambre, no culpó a nadie, mucho menos a su Señor. ¿Qué podría ofender a una mujer que se sentía como si no tuviera derechos? Para ella, todo era don y gracia. Su ego era como tronco caído. Si un tronco recibe el golpe devastador de un hacha, no siente nada. No reacciona. Está muerto. Separado del mundo. Unido a Dios.

La persona dócil sabe cuánto lo aprecia Dios; sabe que está seguro en el amor del Señor, no importa lo que pase con el cuerpo. Aquél que es dócil sabe que su valor viene sólo de Dios, y no de alguna opinión humana —ni siquiera la suya. *"Felices los pacientes, porque recibirán la tierra en herencia"* (Mateo 5, 4).

15ª Estrella FORTALEZA

(Una de las cuatro virtudes cardinales y uno de los siete dones del Espíritu Santo)

Más que cualquier otra frase en las Escrituras, Señor, Tú nos dices *"No tengan miedo"*. Si esto es así, ¿por qué sufro de preocupación e inseguridad? en mis oscuras habitaciones interiores, donde las sombras susurran: "No estás a salvo y prepárate para un futuro difícil" Cómo puedo, con el Rey David, afirmar desafiante:

<<El SEÑOR es mi luz y mi salvación,
¿a quién temeré?
El SEÑOR es el baluarte de mi vida,
¿ante quién temblaré?
Cuando se alzaron contra mí los malvados
para devorar mi carne,
fueron ellos, mis adversarios y enemigos,
los que tropezaron y cayeron.
Aunque acampe contra mí un ejército,
mi corazón no temerá;
aunque estalle una guerra contra mí,
no perderé la confianza>>.

<<Una sola cosa he pedido al SEÑOR,
y esto es lo que quiero:

vivir en la Casa del SEÑOR
todos los días de mi vida,
para gozar de la dulzura del SEÑOR
y contemplar Su Templo.
Sí, Él me cobijará en su Tienda de campaña
en el momento del peligro;
me ocultará al amparo de su Carpa
y me afirmará sobre una roca.
Por eso tengo erguida mi cabeza
frente al enemigo que me hostiga;
ofreceré en su Carpa sacrificios jubilosos,
y cantaré himnos al SEÑOR>>.
(Salmo 27: 1-6)

Mi valor depende de si vivo o no vivo con fe. Tú, Jesús, debes ser mi hermano; Tú, Padre, tienes que ser mi Padre; y Tú, Espíritu Santo, mi Espíritu. Envuélveme, Dios, empápame, respira dentro de mí, entonces sí. . . ¿miedo de qué? ¿de quién? ¡Dios es Omnipotente, y ese Omnipotente vive y está dentro de mí! Sólo cuando lo abrace plenamente y crea esto, me enfrentaré a los enemigos de mi alma y gritaré con gloriosa libertad: "¿Quién puede estar contra mí?"

deshiciste emocionalmente? ¿Por qué tus nervios no te traicionaron? ¿Cómo mantuviste semejante autocontrol? ¿Por qué no trataste de correr, esconderte y olvidar?

La carga de la responsabilidad siempre trae consigo la carga de la soledad, y tú María, tenías que llevar esta carga completamente sola porque implicaba algo que sucedió una vez y sólo una vez, por primera vez y nunca más. Si la noticia se conociera, nadie te creería. Dirían que habías perdido la cabeza.

Estoy abrumado y asombrado por tu madurez. ¡Tenías alrededor de catorce años! Consciente de la gravedad del encuentro con el arcángel y de tu decisión, te quedaste allí sola, sin consultar a nadie, sin la más mínima manifestación de apoyo humano, y te arriesgaste a decir el "Sí" de tu vida sin otro motivo que tu fe y tu amor. Toda la historia nunca podrá reunir elogios suficientes para apreciar y admirar tal grandeza.

19ª Estrella ATENCIÓN

Estar atento a Jesús, significa aceptar a los demás. Cuando no estoy presente ante el Señor, puedo construir muros de separación entre los que me rodean y yo, —pesados ladrillos apilados hacia arriba, hechos de miedo, beligerancia, rechazo, discordia, y malentendidos.

Cuando estoy atento a Jesús soy más capaz de mostrar interés en la familia humana. Cada persona es una joya delicada y preciosa que merece toda mi atención cuando estoy con ellos. En virtud de haber sido creados a imagen de Dios, merecen la misma atención que yo deseo para mí. Si estuviera hablando con una persona famosa a la que admirara, en ese momento naturalmente estaría totalmente presente y despierto. Pero no es sólo en esa deportista o músico brillante en donde el Señor ha encontrado un hogar. La presencia de Dios habita en el interior de cada alma y la llena de gracia. Incluso la gente que no puedo soportar posee Su amor. Puede estar escondido, puede estar cicatrizado, puede estar retorcido, pero está ahí.

Prestar atención a Jesús requiere que ignore cuando alguien deja de hablarme, y yo sigo hablando amablemente con él y de él... Permanezco en silencio en medio de una tormenta de chismes, o hablo favorablemente del acusado... Dejo la compañía de aquellos que disfruto para conversar con alguien que no me gusta.

Jesús, cuando estoy presente ante los demás de la manera como Tú estarías, ellos comenzarán a conocerte a través de mí, y la fuente de Tu amor dentro de ellos, comenzará nuevamente a fluir. Esto requiere que cambie la manera en que margino, categorizo y socializo con la familia humana. Al final del día, ayúdame, Señor, a pensar no en la persona a la que traté mejor, sino en la persona a la que traté peor, porque cómo traté a esa persona es como te traté a Ti (Mateo 25: 40).

En otras palabras, estoy atento a Jesús cuando respeto y venero a mi hermano o hermana, como si fuera el mismo Cristo, y callo mis bajos impulsos egocéntricos. Atiendo al Señor cuando me muevo, hablo y reacciono, preguntándome todo el tiempo, qué haría Él, cómo sería Él, en la misma situación. Al vivir de esta manera, estoy gritando al mundo, sin hacer ruido, que Jesucristo vive.

20ª Estrella FE (Una de los tres Virtudes teologales)

En las vicisitudes de la vida, cualquiera de nosotros puede estar inesperadamente bajo el fuego de un escuadrón de justificaciones enfermedades, inconveniencias trastornos, injusticias y/o desgracias. Naturalmente buscamos causas y consecuencias, explicaciones lógicas mezcladas con sospechas y conjeturas, y atribuimos y distribuimos la culpa en todas las direcciones. Como resultado de nuestros análisis, surge una reacción violenta dentro de nuestros corazones; impulsos de furia, desánimo y venganza se liberan rápidamente. . . Y así, continúa la antigua historia de la gran mayoría de la humanidad.

Contra esta forma de analizar y responder que hace caer al ser humano en el reino de los animales, hay una visión que magnifica, como si usáramos una lente de aumento, que nos permite mirar bajo la superficie de las cosas y ver la realidad a través del lente de la fe. Nuestro único consuelo duradero es esta visión en la que aceptamos pacíficamente los inevitables de la vida; viendo detrás de todas las apariencias la mano que diseña y coordina, permite y supervisa todo lo que sucede en el mundo. Si echamos una mirada al poder y ternura del Padre, que permite esta o aquella desgracia porque traerá un bien mayor, entonces las tensiones se calman, los nervios se relajan y la rebelión se transforma en paz.

FE

Ningún acontecimiento inesperado o emergencia dolorosa en el mundo puede destruir la estabilidad emocional y espiritual de aquellos que viven a la luz de una gran fe. Quienes así viven, son invencibles.

21ª Estrella CONSEJO
(Uno de los siete dones del Espíritu Santo)

"Cuando los entreguen, no se preocupen de cómo van a hablar o qué van a decir: lo que deban decir se les dará a conocer en ese momento, porque no serán ustedes los que hablarán, sino que el Espíritu de su Padre hablará en ustedes". (Mateo 10:19-20). El mundo necesita gente con el don de consejo, testigos de los mandamientos y de todo lo que Cristo nos enseñó. Con el don de consejo, una persona puede juzgar correctamente y con prontitud.

El Espíritu Santo ilumina instantáneamente el corazón con respecto a lo que debe decir o hacer, y mediante Su don, el Espíritu desea aconsejar a los demás, incluso cuando el mensaje pueda ser extremadamente impopular.

El problema es que nosotros, como católicos, a menudo carecemos de carácter. Vemos a nuestro alrededor cosas que horrorizan y angustian a nuestras almas, y aun así permanecemos mudos. ¿No nos ha dado Dios las lenguas y el don del habla? Entonces debemos hablar. ¿No nos ha dado Dios multitud de medios creativos para comunicar Su Verdad con amor? Entonces debemos compartirlo. Y si el Espíritu Santo no nos mueve con palabras fuertes en contra de una mala acción en un momento determinado, entonces nos pide que nos dirijamos a Él en silencio dentro de nuestros corazones, pidiendo una lluvia misericordiosa del Cielo sobre los ofensores, De esta manera, haremos méritos para nosotros mismos y fertilizaremos el suelo de sus almas.

Simplemente, necesitamos formarnos un carácter sólido, con cualidades semejantes a las de Cristo. Nuestra mera presencia debería ser una forma de consejo. Debería ser suficiente para señalar: que ciertos tipos de conversaciones y comportamientos son buenos y que otros no son aceptables. Para decirlo de otra manera: Una madre está en una habitación con su bebé, que está empezando a gatear. La niña pequeña ve una chimenea encendida en la esquina de la habitación y se deleita con las chispas. Se dice a sí misma: "¡Debo ir a jugar con eso!". La bebita se arrastra hacia el calor y a la luz, y la madre ve de repente hacia dónde se dirige su hija. Sabe que, si no la alcanza antes de que la niña llegue al fuego, su hija se quemará, así que la madre actúa inmediatamente, aunque la niña probablemente malinterprete la buena voluntad e intención de la madre.

Una madre cuida a todos sus hijos de esta manera. Se hace consciente de las trampas brillantes y atractivas que el maligno les está poniendo. Lo que los niños están viendo puede parecerles atractivo, pero si juegan con las llamas, van a salir lastimados.

22ª Estrella
RENUNCIA

Señor, ayúdame a ser severo conmigo mismo. Cuando el amor propio y el pecado despierten la tentación, ayúdame a decir ¡No! Cuando mi cuerpo anhele lo que le perjudica, y mis deseos anulen Tus mandamientos, ayúdame a preservar mi alma. Sálvame de mí mismo cuando la glotonería amenace con reemplazar Tu Espíritu que vive en mí, y la adicción amenace con reducir mi alma a un desierto estéril, quejumbroso y avaro.

Ayúdame a decir no cuando la negatividad y la ansiedad me persigan como una manada de perros de caza, cuando la envidia carcoma mi alegría y los chismes me quemen la lengua.

Me has dicho que no puedo servir a Dios y al dinero, y sin embargo sigo adelante, ignorando Tu Palabra, creyendo que puedo hacer ambas cosas. Estoy atrapado en el engaño de las riquezas, de las falsas promesas y apoyos artificiales. O bien, soy demasiado austero o extravagante, demasiado preocupado por el dinero o demasiado relajado. Ayúdame a renunciar al dios dinero, y deja que cada compra, cada pago, cada gota de mi ingreso, siga Tu voluntad.

Cuando otros hablen desfavorablemente de mí, preserva mi corazón del orgullo, la tristeza, la indignación o la venganza. Cierra mi boca, calma mi corazón, y abrázame fuerte mientras permito que mi desordenado amor-propio se desangre hasta la muerte. Enciende una lámpara, oh, Dios, bajo mis oscuras intenciones, y expón las mentiras que escondo, incluso de mí mismo. Ilumina mi mente con las estrellas de la autorreflexión.

Derriba mi ego, que en un momento pide empatía y más tarde exigirá satisfacción. Ayúdame a quedar sordo cuando mi ego clame que lo defienda y me ruegue que no lo deje en ridículo. El ego me engaña en nombre de la razón y la objetividad, y me dice que no confunda la humildad con la humillación. ¡Ayúdame a renunciar a este interminable flujo de explicaciones, excusas y justificaciones que me gritan! Siléncialas de una vez por todas y anímame a aceptar humilde y pacíficamente la verdad. Mi ego grita cientos de razones por las que tuve que pecar, pero mi espíritu nunca será capaz de encontrar y darte una excusa.

23ª Estrella
ENTREGA

Un momento de entrega a la voluntad de Dios contiene la expresión más pura del amor sacrificial y evangélico. Dentro de cada acto de entrega hay un morir a todo lo que es destructivo en su interior, ya sea vergüenza, rabia, miedo, resentimiento, tristeza, repugnancia. . . Decir, *"pero no se haga mi voluntad, sino la tuya"*. (Mateo 26:39b, Marcos 14:36b, Lucas 22:42b), hace que los impulsos agresivos y regresivos del corazón mueran de hambre.

"A cada día le basta su aflicción". (Mateo 6: 34b), y cada día obliga a un cristiano a permanecer en una actitud de entrega, o, de lo contrario, a vivir en constante estrés porque en cualquier momento pueden surgir repentinamente molestias, malentendidos, contratiempos, enfermedades, decepciones y engaños. El creyente, después de trabajar para resolver todo lo que se puede hacer, se abandona y confía en los fuertes y amorosos brazos del Padre, Quién arregla y permite todo.

En la experiencia de la entrega, los fracasos dejan de ser fracasos, y la muerte ya no es muerte. En el abandono total a Dios, nace la serenidad, los complejos desaparecen y la amargura se convierte en dulzura. La persona entregada pone su cabeza en el seno del Padre, aceptando Su voluntad, y permanece en paz, capaz de vivir felizmente y libre. Ve los fuegos de la angustia convertirse en polvo y cenizas, y sus miedos al futuro vuelan con el viento. No hay analgésico más eficaz para los dolores y el descontento de la vida que *"Hágase tu voluntad"*. (Mateo 6: 10a).

24ª Estrella AMABILIDAD

Es fácil ser amigable. Acciones y actitudes que expresan afecto: una sonrisa, un gesto, una mirada, una palmadita en la espalda, una pregunta: "¿Cómo estás?"—todo esto cambia el curso de la historia. ¡Hacer feliz a alguien puede tomar sólo un segundo! Qué vivificante, incluso estupendo, puede ser acercarse a una persona en apuros y decirle: "No tengas miedo, amigo mío; todo esto pasará. ¡Cuenta conmigo!" Si bien no existen recetas para la amabilidad, lo que es importante, es la forma en que tratamos a los demás, es que la persona perciba que estoy con ella, o que la valoro.

Podemos pasar gran parte de nuestro tiempo y atención mirando a los demás para ver quién nos puede satisfacer, buscando una palabra amistosa o un descanso de la monotonía del día, revisando el buzón de voz, los correos electrónicos, los chats o mensajes en las redes sociales... Cuán desinteresada y amable es la persona que pasa tanto o más tiempo en tales actividades repartiendo mensajes de consuelo, esperanza y buena voluntad. Todo lo que se necesita es un alejamiento de uno mismo en favor del otro.

Simplemente el ser feliz, incluso sin la intención de difundir la alegría, genera alegría. En un estudio que siguió la felicidad de casi 5,000 individuos a lo largo de veinte años, las investigaciones descubrieron que cuando un individuo se vuelve alegre, el efecto de la red puede ser medido hasta tres grados.[1] Al igual que las ondas que se extienden cuando una piedra es lanzada a un estanque, la felicidad de una persona desencadena una reacción en cadena que beneficia no solo a sus amigos, sino a los amigos de sus amigos y así sucesivamente – los efectos del goteo duran hasta un año.

Cuando estamos alegres, nuestros vecinos tienen un 34 por ciento más de posibilidades de ser felices ellos mismos, un cónyuge experimenta un 8 por ciento más de posibilidades de mayor alegría, y para un amigo que vive cerca, es de un 25 por ciento. Las posibilidades continúan. . . Un amigo de ese amigo tiene casi un 10 por ciento más de posibilidades de ser feliz, y un amigo de ese amigo tiene un 5.6 por ciento más de posibilidades de serlo.

Dentro de los dictados benévolos de la Divina Providencia, la alegría tiene mayor poder que la tristeza. Curiosamente, la infelicidad no se propaga por las redes sociales tan enérgicamente como la felicidad. La alegría, ama más la compañía que la miseria, incluso llega a los extraños que están a dos o tres grados de distancia, y el efecto es difícilmente pasajero. [2]

Qué tarea tan sublime la de envolver a otros en el manto de la alegría. Qué hermosa profesión es repartir pequeñas porciones de esperanza. Incluso si nosotros mismos no estamos disfrutando de la felicidad, es muy fácil levantar a los demás con un cumplido amistoso: *"Todos aman lo que has hecho. . . He oído grandes cosas sobre ti… Qué maravilloso talento tienes… Eres una bendición…"*

La amistad es una corriente sensible, cálida y profunda, que viaja por el mundo.

---

[1] "Difusión dinámica de la felicidad en una gran red social: análisis longitudinal a lo largo de 20 años en el Framingam Heart Study", de los investigadores Nicholas Christakis, profesor de la Escuela de Medicina de Harvard, y James Fowler, politólogo de la Universidad de California en San Diego. BMJ, 5 de diciembre, 2008.
Universidad de California en San Diego. BMJ, 5 de diciembre, 2008.
http://www. bmj.com/content/337/bmj.a2338, consultado el 29 Junio, 2016.
[2] Ibíd.

25ª Estrella DILIGENCIA

Señor, ayúdame a caminar por Tus playas de oración, entre las olas de la distracción y las arenas de la aridez. Lléname de paciencia y de fuerza para que pueda avanzar con determinación a lo largo de Tu rico paisaje de virtudes.

Ayúdame a organizar mi vida privada de oración de manera disciplinada, y a cultivarla diligentemente—a nunca dejar mi práctica espiritual por una mundana. Ayúdame a tomar cada día un tiempo para estar quieto, para calmar la confusión ruidosa dentro de mí, para controlar mi enorme energía mental y simplemente, adorarte. Sálvame de vivir en la periferia de mi alma, que como San Juan de la Cruz dijo: es como estar en un vecindario ruidoso y bullicioso o en un mercado concurrido. Silencia mis sentidos exteriores, mis fantasías y preocupaciones que perturban mi percepción de las realidades íntimas. Calma a mi alma, esa frontera entre Dios y el hombre, donde puedo encontrarte.

26ª Estrella
RESPETO

El ser humano es un misterio, todo un universo en sí mismo. Cada una de las personas es una isla única, y nunca se repite a lo largo del tiempo. El primer paso para respetar a los demás es reconocer que no sé casi nada de ellos porque son mundos sagrados y desconocidos.

La falta de respeto en el ámbito privado de las palabras se llama chisme, y nosotros que iniciamos o participamos en el chisme nos inmiscuimos en el mundo sagrado de los demás. Entramos en el santuario interior del otro y emitimos juicios, actuamos como jueces, condenamos, y hacemos pública su sentencia. Las reputaciones son destruidas con una simple frase. El aire pacífico está ahora envenenado. Ellos hablaron mal de ti, así que tú hablas mal de ellos. Los pensamientos se convierten en balas que rebotan y matan, y los rumores van de boca en boca, cada vez más distorsionados y exagerados, como tumores cancerosos.

En esta situación, nadie escucha realmente a alguien, y nadie habla sinceramente. La inseguridad y la sospecha empañan el aire y la transparencia se hace imposible. Los cuerpos se sientan en cuartos abiertos con puertas imaginarias cerradas de golpe. Como consecuencia, cada alma se refugia en su mundo interior y externamente asume una postura defensiva. Como un fuego artificial que se quema lentamente, la falta de respeto desencadena chispas de soledad, evasión, miedo, y para finalizar, una deslumbrante pantalla de rencor.

Pero desde el momento en que cumplimos con la virtud del respeto mutuo, y honramos el misterio vivo del otro, que Dios ha puesto a nuestro lado… desde el momento en que elegimos morder nuestras lenguas inquietas y tratamos a los demás como lo haríamos al caminar y respirar con Jesús… desde ese momento se plantan semillas de confianza, crece el árbol de la camaradería, y la aceptación y la alegría florece en sus ramas.

27ª Estrella ESPERANZA (Una de las tres virtudes teologales)

Llévame Señor, por el camino de la esperanza. Tú eres el Único que puede ver el camino. Por lo que sé, me estoy desviando de un camino despejado y seguro hacia las zarzas y a la hiedra venenosa.

No conozco el camino y en ocasiones me asusta, pero debo caminar hacia adelante con esperanza. Si pongo esa esperanza en mí mismo, estaré perdido. La desesperación y el pesimismo serían mi recompensa. Cuando miro al mundo, veo que muchos esperan en cualquier cosa menos en Ti, y muchos son disuadidos del Verdadero Camino.

Incluso yo hago mis propias metas, elaboro mis propios planes, y pongo las piedras en un edificio que no tiene otro arquitecto más que yo. Sálvame Señor Jesús, sálvanos a todos, de nuestra locura cuando ponemos nuestra esperanza en algo que no seas Tú: en nosotros mismos, en nuestra reputación, en el dinero o el poder, en los partidos o líderes políticos, o incluso en el glamour de Hollywood, de las "estrellas" del mundo.

Dame, oh Dios, la más profunda convicción y conciencia de que si la esperanza en Ti no está presente destruiré mi futuro, y que el mundo se destruirá a sí mismo. Enséñame y prométeme que, a pesar de los tiempos difíciles, las tardes agotadoras y las duras noches, mi futuro y el destino de la Iglesia y del mundo están seguros en Tus manos amorosas y todopoderosas.

Aunque camine por una jungla de mentiras camuflajeadas, déjame vivir para ver el resplandor de la Resurrección levantándose en el borde del horizonte despejado. Dame destellos del día prometido que está por venir, hermoso, más allá de los sueños. Pon mi mirada en la vida del mundo, del más allá, para que mi vida que vivo ahora sea guiada por la infalible estrella de la esperanza en Ti.

28ª Estrella RESILIENCIA

Entramos en la oficina de nuestro jefe para nuestro aumento anual, y nos notifica que estamos despedidos. Recibimos una llamada telefónica informándonos que nuestro ser querido ha muerto en un terrible accidente. Todo el dinero que invertimos se ha perdido. La persona, con la que más habíamos contado en la vida, nos traiciona. Un miembro de la familia o un amigo se suicida. Nuestro hijo cae en una vida de pecado grave y no le da importancia. Recibimos el diagnóstico de un cáncer doloroso y terminal.

¿Alguien está libre de estos oscuros y terribles golpes que descienden sobre nosotros como un halcón, que nos hiere con sus garras y nos lleva al silencio de Dios?

Tales momentos nos llegan de forma espontánea. Podemos estar de pie, erguidos y fuertes, regocijándonos en las bendiciones de la vida, cuando un acontecimiento demoledor choca de manera imprevista con nuestro ser, destrozando nuestros sentidos y nuestros pensamientos, y a veces, los cimientos mismos de nuestra existencia. Y cuando nos sentimos hechos pedazos apenas podemos seguir adelante, recuperar la esperanza o el interés en la vida,

El Evangelio de San Lucas nos dice que María, la Madre de Dios, pese a su sublime naturaleza, no fue inmune a tales golpes devastadores. Medita en cómo debe haberse sentido cuando perdió a su Hijo durante tres días en Jerusalén—una anticipación del tiempo en que lo perdería tres días en las garras de la muerte. Su Hijo era nada menos que el Salvador del mundo, y el Creador le había confiado a ella y a José, que lo cuidaran y lo protegieran. Imagina su pánico cuando Jesús, un adolescente incipiente, no pudo ser encontrado en la caravana de los hombres, ni fue visto en la de las mujeres. En la primera caravana de regreso a Jerusalén, María comenzó su ansiosa búsqueda de tres días y tres noches.

Debe haber vuelto sobre sus pasos innumerables veces, recorriendo los patios y las calles, corriendo en la dirección equivocada, girando la cabeza para ver hacia la izquierda, cuando tal vez, debería haber mirado a la derecha. Sin duda alguna hizo mil preguntas, todas con la misma respuesta: "No lo he visto". ¿Había caído en manos de Sus enemigos? ¿Estaba vivo? ¿Lo volvería a ver? ¿Por qué Dios estaba tan callado? ¿Por qué Él no le dijo a través de un ángel lo que le pasó a su Hijo?

Después de tres días de comer poco y casi sin dormir, María finalmente encontró a su Niño amado. ¿Crees que su primera reacción fue de alegría? No lo fue. Sus palabras fueron una reprimenda, una liberación de su emoción dolorosa: *"Hijo mío, ¿por qué nos has hecho esto? Piensa que tu padre y yo te buscábamos angustiados"* (Lucas 2:48).

El joven Jesús le respondió de una manera aparentemente despreocupada e indiferente, casi como si le estuviera echando la culpa a ella de regreso: *"¿Por qué me buscaban? ¿No sabían que yo debo ocuparme de los asuntos de mi Padre?"* (Lucas 2:49).

Entonces la Escritura dice otra cosa notable. En un entretejido de diferentes traducciones, el Evangelio, dice: *Su madre conservaba/guardaba/atesoraba/reflexionaba todas estas cosas en su corazón.* (Lucas 2:51b). Los momentos que siguieron al final de la pesadilla de María nos dan una visión de su resiliencia. Después de tres días y noches sin mucha comida, sueño o descanso, con su mente torturada por el miedo y la incertidumbre, su cuerpo agotado—y a pesar de recibir una respuesta tan desconcertante, se retiró en una entrega pacífica y en reposo para atesorar las palabras de su Hijo en su corazón.

Tal resiliencia sólo puede venir de un corazón que está muerto a la autocomplacencia. Sólo aquellos que han muerto a las demandas del ego pueden ir pacíficamente a donde los lleve la secuela de la conmoción y absorber inmediatamente el poder sanador de Dios. María no puso una barrera a la gracia, al indignarse o llenarse de acusaciones o de culparse-a sí misma, ni llegó a tener miedo del futuro. En cambio, se permitió relajarse y ser restaurada en la voluntad del Padre. El mañana fue un nuevo día... un día que podría volver a ser llenado de paz.

29ª Estrella
DESPRENDIMIENTO

Vivimos nuestros primeros años de vida humana, aprendiendo a apegarnos a las personas y a las cosas. Los niños más felices y mejor-adaptados, se apegan primero, al menos, a un cuidador amoroso, como si esa persona fuera su propio cuerpo. Para comer, el bebé se prende al pecho de la madre o a un biberón. Para encontrar consuelo, el niño llora hasta que es levantado, cargado y abrazado. A través de la confianza y la dependencia, este apego, idealmente, continúa.

Desde muy jóvenes, descubrimos que ciertas cosas, tanto dentro como fuera de nosotros mismos, nos complacen y nos dan una sensación de felicidad; y otras cosas nos resultan desagradables. Para surcar el mundo físico cuando somos niños pequeños, echamos mano a los objetos que agarramos, apegándonos a nuestros favoritos, de ahí la amada "cobijita". Nos metemos objetos con desagradable sabor en la boca y los escupimos con asco. Naturalmente, crecemos para saborear las cosas que disfrutamos, incluso a algunos de nuestros propios rasgos personales, y nos apegamos de manera posesiva a ellos. Cuando esas cosas que nos gustan se ven amenazadas o corren el riesgo de desaparecer, nos angustiamos. De repente, el miedo, que descarga la energía agresiva, se apodera de nosotros en defensa de la posesión amenazada, y entonces surge la guerra.

La única manera de ganar esta guerra es a través del santo desapego. Las lecciones desagradables del desapego nos han seguido desde el momento en que fuimos expulsados dolorosamente del vientre de nuestra madre—nuestro primer hogar cálido y familiar... y entramos a este mundo llorando.

Cuando éramos bebés, sentíamos que nuestros cuidadores eran extensiones físicas de nosotros mismos, lo que nos causó un tremendo conflicto interno cuando no llegaban en el momento que les exigíamos, o no nos consolaban adecuadamente en nuestras heridas o no nos daban el tipo de comida "apropiada" en el momento "apropiado". A través de la desilusión y la lucha, aprendimos que lo que creíamos que era parte de nosotros mismos, era en realidad una entidad separada con su propia mente. Así comenzó una vida de lecciones en la virtud del desapego, que culminará en la liberación del último apego de todos, el apego a nuestra propia vida.

San Juan de la Cruz nos dice que la libertad de todos los apegos, incluso los más pequeños, es necesaria para alcanzar la unión divina, la meta más alta de toda alma humana. Los apegos, dice, pueden ir desde el pecado más grave hasta las preferencias aparentemente inofensivas:

Algunos ejemplos de estas imperfecciones habituales son: la mala costumbre de ser muy hablador; algún pequeño apego que, realmente, uno nunca desea conquistar, por ejemplo: apego a una persona, a la ropa, a un libro, a un celular, o a la forma en que se prepara la comida, a pequeñas satisfacciones de saborear, a conversaciones insignificantes para saber, para enterarse, para escuchar cosas, y así sucesivamente. . . Mientras este apego permanezca, es imposible progresar en la perfección, incluso aunque esa imperfección sea muy pequeña.

Hace muy poca diferencia si un pájaro está atado con un hilo delgado o con un cordón grueso. Incluso, si está amarrado por un hilo, el pájaro se mantendrá atado con la misma seguridad, como si lo estuviera con el cordón; es decir, le impedirá volar siempre y cuando no rompa el hilo. Es cierto que éste es más fácil de romper, pero no importa cuán fácil sea hacerlo, el pájaro no volará sin antes romperlo. Este es el destino de aquellos que están sujetos a algo: No importa cuánta virtud tengan, no alcanzarán la libertad que proporciona la unión divina sino dejan todos sus apegos. (*El Ascenso al Monte Carmelo*).

30ª Estrella POBREZA

Señor, líbrame de la seducción y la comodidad fugaz del materialismo, que pocas personas reconocen. Incluso el joven rico que vio Tu rostro y escuchó tus palabras… *"vende todo lo que tienes y distribúyelo entre los pobres, y tendrás un tesoro en el cielo. Después ven y sígueme"* (Lucas 18:22), se puso triste y se alejó. Protégeme de los pensamientos temerosos que silban en mis oídos que me dicen: *"Dios no proveerá"*, porque me impiden donar, lo que no necesito. Libérame de los susurros que me acarician con la falsa ilusión: *"Es Dios quien te ha bendecido con muchas posesiones. Has trabajado duro y mereces conservar y disfrutar lo que has ganado"*. ¿Qué acaso se merece menos la pobre mujer que encorvada, con sus manos adoloridas por la artritis y con llagas, en el calor del campo recolecta día tras día — la fruta? ¿No ha pasado ella también, largos años de trabajo duro?

¿Quiénes son los pobres, Señor? Tú estabas entre ellos, y Tú eras un hermano para ellos. Tu madre también era pobre. Desde las alturas de tu divinidad, donde reinabas, sobre todo, descendiste a las escorias de la tierra y no tenías ni dónde recostar tu cabeza. Tú, el Rey de toda riqueza, te despojaste del cielo, te encerraste en el cuerpo humano, y habiendo alcanzado la mayoría de edad, lo dejaste todo, incluso tu pobre hogar y a tu Madre amada, para predicar la Buena Nueva. Siendo el centro de todo, te hiciste más presente con los de afuera, con los indigentes, con los rechazados. Prestabas atenciones especiales a los hambrientos, a los necesitados, a los enfermos, a los demasiado jóvenes, a los ancianos, a los olvidados—y todavía lo haces.

POBREZA

¿Quiénes son los pobres, Señor? Dices que debo ayudarlos. Veo a tus pobres en los rostros de aquellos que tienen poco o nada en este mundo. Los veo en las calles, buscando entre la basura, trabajando en quehaceres ingratos por poco dinero. Pero sé que están en todas partes: en aquellos que son ignorados porque no tienen alguna belleza, talento o carácter perceptible; en la chica solitaria que ha perdido todo sentido de autoestima, en el hombre narcisista que piensa en hablar sólo de sí mismo; en la mujer rodeada de colillas de cigarros, que no puede despegarse de su pantalla de televisión.

Hay tantos pobres, Señor; son innumerables. Al igual que una tempestad que se intensifica, su llanto se vuelve más caótico e insistente cada día, con necesidades más grandes que mi corazón pequeño. Libérame de mi miedo y de mi pasividad, Señor; de las excusas de que ellos merecen su suerte, de lo que no pueda hacer para ayudarlos, o de que esté demasiado ocupado. Oh Dios, ¿y si esa pobre persona fuera yo?

31ª Estrella SABIDURÍA

(El primero y el más elevado de los siete dones del Espíritu Santo)

Para escalar la montaña llamada Fe, hacia la cima de la santidad, Dios, primero deja la iniciativa al alma. En las etapas iniciales, el alma ayudada por Su gracia debe buscar por sus propios medios la sabiduría y el apoyo espiritual. Al igual que un niño que comienza a caminar, el alma busca y necesita cosas como muletas psicológicas, métodos de concentración, ejercicios espirituales, lecturas y puntos de reflexión para facilitar el avance. Dios, a cambio, anima y ayuda al alma a través de los consuelos personales, y la oración parece más un producto del esfuerzo humano que de los impulsos divinos.

A medida que el alma avanza a través de las etapas espirituales más altas de crecimiento y sabiduría, Dios comienza lentamente a tomar la iniciativa en el alma y a ofrecer apoyos especiales y toques inesperados. En estos niveles, el alma encuentra que las ayudas psicológicas, intelectuales y espirituales, en las que solía apoyarse, se convierten en muletas inútiles. Dios remueve todas las iniciativas lejos del alma y lo somete bajo el poder y la guía del Espíritu Santo a la entrega y a la sumisión. Una vez que el Espíritu irrumpe en la escena, el alma siente la necesidad de purificarse a sí misma, a través de las mortificaciones y el desapego. Con el paso del tiempo, la noche oscura llega, dejando al alma sin consuelo, pero se encuentra a las puertas de la unión con Dios.

Cuando la prueba ha pasado, ha logrado la purificación del corazón, la paz en el sufrimiento, la libertad del mundo, e impregnada de la sabiduría divina, entonces el alma se encuentra en condiciones de avanzar, sin ningún obstáculo, hacia la unión transformadora.

Mientras que la persona que ora, escala los acantilados de las alturas divinas, pueden surgir dentro del alma poderes antes desconocidos. Alimentados por la gracia, estos poderes pueden empujar al alma a subir un escalón por la pendiente hacia un torbellino, donde Dios se convierte cada vez más y más en el Todo y en el Absoluto. Toda la persona es entonces atraída, tomada y lentamente transformada en una antorcha, que calienta, arde e ilumina. Su destino final es conocer a Dios mismo.

32ª Estrella DISCIPLINA

Las reglas de entrenamiento son igualmente válidas para el atletismo como para el espíritu. *¡Nada cincuenta vueltas!* alguien te pide. *¡No lo estoy logrando!* le gritas. Pero empiezas, lentamente al principio, haciendo muy poco y te quedas rápidamente sin aliento. Continúas con el tiempo, avanzando semana tras semana, agregando cada vez más velocidad, desarrollando mayor resistencia y capacidad. Entonces, un día, sucede. Te despiertas y tienes poca o ninguna dificultad para hacer lo que alguna vez parecía imposible.

Todos llevamos dentro de nosotros, en nuestro código genético y nuestro núcleo del alma, capacidades espirituales únicas y talentos divinos, que hoy pueden estar dormidos, o tal vez atrofiados, pero mañana pueden florecer. Cuando ejercitamos nuestros dones innatos en la oración y la acción, nuestra atracción y deseo por Dios se despierta, y el Señor se convierte cada vez más en nuestra satisfacción y en nuestro todo. Todo cobra vida. Los sacramentos ya no son rituales rancios y refranes vacíos, sino verdaderos banquetes espirituales. La castidad ya no es una represión malsana sino una realización misteriosa. Los deberes diarios ya no son más trabajos pesados, sin sentido, sino una misión… las bienaventuranzas ya no son paradojas absurdas sino pozos profundos de sabiduría y de realización.

Cuando no entreno mi espíritu para nadar con Dios, es Él, en el mejor de los casos, una palabra vacía, un "Don Nadie", en el peor de los casos, un mar oscuro y premonitorio. Pero cuando me sumerjo en Sus aguas vivas, Dios se convierte en "Alguien". Cuanto más profundo me sumerjo y cuanto más lejos nado, más me cautiva y me envuelve el misterio de Su amor.

Comienzo en un cuarto oscuro. No veo nada. Decido encender un cerillo. En una oración de súplica, me arrodillo junto a mi cama. Cansado y angustiado, me esfuerzo para asistir a la misa de la mañana. Tentado por los placeres fugaces del mundo, le pido a Jesús que viva y respire en mí. Mi pequeña luz empieza a iluminar. De repente, una imagen colorida se revela en la pared. La luz parpadea y baila en la esquina de la mesa. Un candelabro brilla sobre mí. Con el tiempo, encuentro más y más formas de traer más luz a la habitación. Un día, miro a mi alrededor y me quedo sin aliento, "Oh, la habitación es hermosa, ¡muy hermosa!".

¿Cambió la habitación? No. Era la misma que siempre había sido y siempre será. Pero al entrar en la luz de la presencia de Dios, nuevas perspectivas y formas, todas previamente desconocidas para mí, comenzaron a aparecer.

No todos los santos, profetas y mártires fueron seres excepcionales porque nacieron en el mundo de esa manera. Muchos de ellos tuvieron que mantener una lucha incesante en su proceso de santificación. A través de sus esfuerzos, se cumplió la ley de atracción entre las gentes: cuanto mayor era su proximidad a la Luz de Dios, mayor era su afinidad entre ambos. Cuanto más nos acercamos a la unión con lo Divino, más crece la atracción de Dios, Su seducción y nuestro deseo.

La hermosa habitación nunca cambió. Nunca lo hará. Pero yo sí puedo cambiar.

33ª Estrella MORTIFICACIÓN

Señor, hazme a tu imagen y semejanza. Moldéame en un ser quien, como dijo San Pablo, complementa en su carne lo que les falta a los sufrimientos de Cristo en nombre de Su cuerpo, que es la Iglesia (Colosenses 1: 24a). Aunque a Tu Sacrificio no le falta nada en su total donación, el cuerpo de la Iglesia debe sufrir y pasar por el sufrimiento redentor para cumplir con Tu trabajo en la Tierra.

Así que, inspírame a colmarte de regalos, de actos intencionales de abnegación y de valor, todo envuelto en pequeños sufrimientos. Ayúdame a contener mi ira y a detener mi lengua cuando esté tentado a castigar; a alabarte cuando me sienta aplastado por el peso de la cruz, y a entregarte mi dolor por las palabras injustas y las opiniones desfavorables. Dame la fuerza para negarme a mí mismo un sabroso bocado de comida o bebida refrescante, para tender la mano a aquellos que son material o espiritualmente pobres, y finalmente, a hacer lo que he estado evitando, pero que sé que debo de hacer.

Motívame, Señor, a interceder por aquellos que no sienten necesidad de orar, a amar a esos corazones que se han congelado, y a tener esperanza por aquellos cuyas aspiraciones se han despeñado en escarpados acantilados.

Permíteme contener las corrientes impredecibles y rebeldes destructoras que están arrollando al mundo y a la Iglesia, a través de mis regalos de mortificación personal. Permíteme ayudarte a replantar Tu jardín lleno de paz. Tú Señor, provees y cuidas los más hermosos rosales con las espinas más punzantes, pero yo nunca dejaré de preocuparme por las pequeñas florecillas, esas que recogen el rocío y reflejan la gloria del sol.

34ª Estrella VALENTÍA

Vivir en el fuego consumidor de la Santísima Trinidad es no sentir paz a menos que uno comparta la Buena Nueva. Como dijo San Pablo, el grito de un corazón enamorado es: *"¡Ay de mí si no predicara el Evangelio!"* (1Corintios 9:16b). Remodelado por la mano del Divino Alfarero a semejanza de Dios, el alma no puede guardar su corazón sino desea que el mundo entero sea salvo y desea ardientemente que, en el nombre de Jesús, toda rodilla se doble y la lengua confiese que Jesucristo es el Señor (Filipenses 2: 10-11).

Si el fuego para evangelizar no está presente en el interior, algo carnal y mundano ha ensombrecido la luz que emana del Espíritu que habita en nuestro interior, que está siempre activo y creativo en la difusión del Reino. Si estamos plenamente vivos y somos dóciles a sus impulsos—a veces se sienten como inspiración y otras como una molestia persistente— compartiremos de palabra, de obra y de oración, los numerosos tesoros de Dios y de su Iglesia. Las tentaciones de miedo... complacencia... juicio... ira... orgullo... no podrán impedirnos que salgamos de nuestra comodidad personal y que tomemos los riesgos necesarios para salvar almas.

El mundo está lleno de personas extraviadas y errantes, persiguiendo sombras que conducen a la pérdida total de la luz. Muchos no saben el porqué de su existencia. Sin un testimonio auténtico y una evangelización audaz, no hay futuro para ellos, y no hay futuro para la Iglesia Católica.

Toma seriamente en cuenta esto: un testimonio eficaz sólo puede provenir de una relación íntima y vital con Jesús. Tal como Él lo afirmó, *"Salí del Padre y vine al mundo"* (Juan 16: 28a), así también, para tener la autoridad moral, la credibilidad auténtica y el poder divino para actuar como testigos, debemos ser capaces de repetir: "He estado con el Padre, y vengo a decirles lo que he visto y oído".

35ª Estrella ENTENDIMIENTO (Uno de los siete dones del Espíritu Santo)

Dios es normalmente lógico dentro de Sí mismo. Este aspecto del Creador puede ser terriblemente difícil de aceptar, y nuestra fe puede ser violentamente sacudida cuando los acontecimientos siguen su concurso natural.

"¡Qué horrible!" un conductor borracho atropelló a un niño pequeño y lo mató. ¡Su madre no tenía a nadie más que a él!". ¿Fue Dios vicioso, vengativo, tal vez malvado? La respuesta es simple: Dios tan solo permitió que la ley universal de acción y reacción (consecuencias) siguieran su curso natural con la física, la velocidad y los reflejos deteriorados por el consumo de alcohol, dando como resultado, la tragedia. Como Marta en la tumba de Lázaro, gritamos en protesta, *"Señor, si hubieras estado aquí, mi hermano no habría muerto"* (Juan 11: 21).

Así que le cuestionamos a Dios: "Señor, ¿no podrías haber evitado semejante calamidad?" Hablando en términos absolutos, la respuesta es sí, porque el Creador de todas las leyes y del tiempo mismo puede anularlas y alterarlas a Su voluntad. Pero Él raramente hace esto. Él respeta Su creación y las leyes que puso en marcha.

Puede que yo no entienda completamente el por qué permitió la pesadilla o cómo planea sacar un bien mayor de ella, pero sé que lo hará. Entiendo que lo hará porque Él es bueno. También entiendo que Él permitió, a sangre fría, la tortura inoportuna, injusta, horrible y prevenible, y el asesinato de Su único Hijo a manos de aquellos que creó y amó "hasta la muerte"—sólo porque un bien mayor saldría de todo ello. Dios nunca permitirá algo negativo a menos que conduzca a un positivo mayor. Esta es una ley que Dios ha puesto en marcha, y que nunca anulará. El don del entendimiento también me asegura, que el bien mayor, no es la salvación de los cuerpos temporales, sino el de las almas eternas.

Por lo tanto, silenciaré mi preocupación, adoptaré una perspectiva espiritual, y dejaré de preguntar por qué, pues entiendo, verdaderamente que todo estará bien. Todo estará muy bien.

RECIBE EL SACRAMENTO DE LA RECONCILIACIÓN ESTA SEMANA EN PREPARACIÓN PARA LA CONSAGRACIÓN

36ª Estrella PRUDENCIA
(Una de las cuatro Virtudes Cardinales)

La prudencia ve al mundo desde un punto de vista elevado. De pie como una secuoya (el árbol más grande que existe en el reino vegetal) que, por encima de los pinos y robles, gobierna majestuosa y escultural sobre las pequeñas virtudes, dictando cómo deben utilizarse. Juzga acertadamente entre el bien y el mal y discierne lo que es excelente por encima de lo que es bueno.

De sus muchos dictados, la prudencia dice cuándo pasar a una acción decisiva y cuándo rendirse. En los momentos críticos, podemos enfrentarnos a circunstancias de la vida extremadamente molestas, injustas o dañinas. La prudencia nos obliga a preguntarnos: "¿Puede cambiase o mejorarse esta cosa que me aflige? ¿Tiene solución? Y si es así, ¿es la solución a algo que debería intentar?".

La prudencia guía nuestros mejores juicios, de acuerdo con la Sagrada Escritura y las enseñanzas de la Iglesia, ayudada con la oración, la investigación y los sabios consejos. Si una solución—que valga la pena, por pequeña que sea—aparece en el horizonte, la prudencia se unirá a la fortaleza y dirá: *"Por ninguna razón, es hora de rendirse. Es hora de luchar con todas tus armas que tengas disponibles y de poner todas tus energías en la obra"*.

Sin embargo, cuando miramos la realidad, descubrimos con demasiada frecuencia, que muchas de las espinas de la vida no tienen cura ni remedio, o si hay una solución, no está a nuestro alcance. Estas son las "imposibilidades" de la vida. Si no hay nada que podamos hacer en alguna situación, entonces es inútil llorar por ello. Resistir con toda el alma a un hecho consumado es un acto suicida, causando una reacción mental violenta. Nos deja indignados, temerosos, tristes, culpables, amargados; y cuanto más nos resistimos, más nos oprime la situación. En poco tiempo, estamos atrapados en un ciclo autodestructivo, que nos genera estados depresivos o de ansiedad. Podemos vivir obsesionados con lo que no podemos alterar, y precisamente porque lo rechazamos, se convierte en un apego fijo en nuestras mentes.

Al final, cuando nos enfrentamos a los callejones de la vida sin salida, sólo tenemos dos opciones: rendirnos o explotar. Aquellos que son prudentes se dicen a sí mismos: "Es inútil llorar y quejarse. A partir de este momento, doblaré las rodillas de mi espíritu y pondré mi cabeza en Tu pecho, Señor. Te entrego este problema a Ti. Es Tuyo para que lo cuides, no mío".

En esto, Dios eleva a los prudentes muy por encima de las vicisitudes de la vida en una suave corriente de paz, donde nada puede atraparlos, ni la decepción o el éxito, ni la adversidad o la prosperidad, ni la incomodidad o la facilidad.

37ª Estrella
PIEDAD
(Uno de los siete dones del Espíritu Santo)

El piadoso puede recorrer el mismo camino que el impío, pero ven el paisaje que lo rodea de manera totalmente diferente. Caminan por los jardines y notan que las flores hablan, los pájaros cantan, incluso los insectos chirrían, para hablar del amor de Dios. El impío observa las flores, pero se concentra en el barro de sus zapatos, en los errores del jardinero y en el ardiente sol quemando su cuello, todo esto le cierra el corazón a Dios y le recuerda que la belleza viene manchada por la molestia y el dolor.

El piadoso reflexiona la Buena Nueva predicada por Aquel que vino de la Casa del Padre, quien dijo que el Reino es como una joya que proyecta una luz diferente a la del sol, una luz infinitamente más resplandeciente que un amanecer—un esplendor tan rico, que para poseerlo vale la pena venderlo todo. El impío no desea vender nada porque sólo ve pérdidas y ninguna recompensa.

El piadoso, honra todo lo que es santo y corre a cumplir sus sagrados deberes. El impío, encuentra en la obligación religiosa un impedimento a la libertad y una tarea sin atractivo. Mientras que el piadoso da a Dios lo que es de Dios y al César lo que es del César, el impío da al César lo que es sólo de Dios.

Los piadosos y los impíos descienden juntos a los mismos valles profundos de injusticia y aflicción: hermosas mansiones al lado de chozas miserables; choques racistas y abusos sexuales; muerte patrocinada por el estado para los recién concebidos y para los ancianos; el matrimonio de lo que está espiritualmente prohibido; el presumir el hedonismo (el placer por encima del amor a Dios y al prójimo) ante los ojos de los niños. Tanto los piadosos como los impíos pueden creer que la trayectoria del mundo es una curva descendente.

Pero la piedad no es ingenua, y la impiedad ve erróneamente. Mientras los piadosos caminan por el fondo del valle, ven el mal, pero saben que el amanecer aparecerá y triunfará. Su mirada penetrante de fe captura los rayos luminosos ocultos en la retina humana. Los impíos ven el mal y saben que la bondad no siempre gana. Contemplan cómo al caer la tarde el cielo se oscurecerá, y pronto el firmamento de la noche estará vacío de estrellas.

Para ambos, el día de la muerte llegará. Al contemplar el Rostro resplandeciente de Dios, los piadosos verán que sus sueños más extravagantes, eran insignificantes al lado de la Gloria de una Presencia que sacia todo deseo. Los impíos verán que su visión era una cortina de humo, que apenas se asemejaba a la realidad.

38ª Estrella
JUSTICIA

"Jesús fue a Nazaret, donde se había criado; el sábado entró como de costumbre en la sinagoga y se levantó para hacer la lectura. Le presentaron el libro del profeta Isaías y, abriéndolo, encontró el pasaje donde estaba escrito:

El Espíritu del Señor está sobre mí, porque me ha consagrado por la unción. Él me envió a llevar la Buena Noticia a los pobres, a anunciar la liberación a los cautivos y la vista a los ciegos, a dar la libertad a los oprimidos y proclamar un año de gracia del Señor" (Lucas 4: 16, 20).

Cuando Jesús enrolló el pergamino, se lo devolvió al asistente y se sentó, los ojos de todos los de la sinagoga lo miraron atentamente. En ese momento crucial de la historia humana, ¿por quién se preocupaba Jesús?

Cuando un hombre es encarcelado injustamente por el color de su piel, esa persona toca, respira y bebe la injusticia. Cuando una mujer trabaja largas horas, lejos de sus hijos sin supervisión y aun así no puede alimentarlos, vive ella sin descanso, en la preocupación y en la desesperación de la injusticia. Cuando una joven es vendida como esclava sexual, es atada a un pilar y azotada por la injusticia. Ellos no tienen voz.

Jesús desenrolló el pergamino y dijo: *"Hoy se ha cumplido este pasaje de la Escritura que acaban de oír"* (Lucas 4: 21). En otras palabras, "Hoy, y desde este momento en adelante, soy tu voz"—una voz que resuena a través del tiempo en las bocas de los discípulos del Señor. Estos son los discípulos que pronuncian palabras de esperanza dorada para los mudos e ignorados: los imitadores de Aquel que está en la defensa de los desamparados, de los pobres, de los no nacidos, de los ancianos, de los niños, de los enfermos, de los enfermos mentales, de los maltratados. Estos son los árboles altos con raíces sagradas en cuyo techo de ramas acogedoras, los delicados pájaros hacen sus nidos.

Estos hombres y mujeres saben que en cualquier estado de vida en el que se encuentren, ante todo, son hijos de Dios. No son doctores que son católicos, sino católicos que son doctores. No son madres que son católicas, sino católicas que son madres. Su "sí" es una canción al oído de Dios cuando el mundo se queda en silencio, y su "no" es una lanza en la mano de Dios cuando el mundo duerme con su enemigo.

A ellos, cada tarea les trae una perspectiva sobrenatural y el amor de Dios a cada persona. Siguen a donde Cristo los conduce, aunque les cueste la vida. Todo esto lo hacen porque el amor y la justicia lo exigen. Han desenrollado y leído el pergamino, y la voz de Dios es suya.

39ª Estrella PAZ

El anhelo de paz palpita en el alma de cada ser humano. Es una llamada persistente a una existencia interior, muy diferente al descontento inquieto que deambula en las innumerables almas que vagan por esta Tierra. Los pocos que han encontrado un santuario de serenidad en su interior han conquistado el "yo" en una batalla oculta y personal, de proporciones épicas.

Crucificados consigo mismos, habiendo entregado sus voluntades por completo a Dios, viven en la morada de la paz. Las fibras de sus corazones laten al unísono con el Creador en armoniosas melodías que sólo ellos oyen; las pequeñeces y las tendencias del mundo desaparecen para ellos y no son de su interés. Su manera de actuar es atenta y cortés. Son sensibles a la naturaleza; los problemas de los demás se convierten en los suyos. Con pensamientos positivos y puros, incluso hacia sus enemigos, dedican su tiempo a orar por ellos, en lugar de criticar y condenar.

El enemigo se encuentra en las profundidades de los corazones humanos, no en las tierras de las naciones contrarias. La gente de paz no puede ser gente de guerra, porque la voluntad de Dios no tiene agresión o brutalidad contenida en ella. Ocultas en los pensamientos del hombre están las guerras que comprometen y distorsionan los valores de Dios hasta el punto de que los líderes de los pueblos y las naciones estallan con violencia, arruinando los destinos humanos y ahogando al planeta en el sufrimiento. *No matarás* (Exodo20:13) no es un mandamiento que pueda ser anulado súbitamente por una declaración de guerra.

Nuestra Señora, cuando se apareció en Fátima, hizo una seria advertencia: *"La guerra es un castigo por el pecado"*. El Señor de Todo y Su bondadosa Madre no confían en nuestras armas para traernos la paz y la salvación. Confían en nuestras oraciones, nuestros Rosarios, nuestros ayunos, nuestros sacrificios, y nuestras vidas santas. Jesús es el Príncipe de la Paz, no el príncipe de la guerra. María es la Reina de la Paz, no la reina de la guerra.

Día y noche, comprometámonos a profundizar en nosotros mismos para apagar las persistentes llamas del orgullo y cortar las mil cabezas de la ira, la agresión, la venganza y el rencor. Porque el enemigo no está solamente afuera. Está dentro. Sólo cuando nos hayamos sometido a nosotros mismos y hayamos silenciado nuestros temores, el mundo descansará en las manos del Dios de la paz.

Jesucristo, mi Señor y hermano, hazme un instrumento de Tu paz. Derrama en mí un espíritu tan amable que pueda dar a los demás la misma consideración que tendría para Ti.

Cierra la puerta de mi corazón para que no le haga daño a nadie, juzgue desfavorablemente, malinterprete los acontecimientos o haga suposiciones equivocadas. Calma mi mente si empiezo a invadir el sagrado santuario de las intenciones.

Cuando la tentación de hablar mal del hermano o hermana crezca en mi garganta, sella mis labios con el silencio para que nunca derrame chismes o rompa promesas. Permíteme conservar la confianza hasta la muerte. Que mi presencia sane, mi lengua anime y mis acciones calmen los dolores de los corazones humanos. Dondequiera que Tú quieres que vaya, permíteme dejar detrás de mí un rastro de bendiciones y de paz.

40ª Estrella EXCELENCIA

Muchos parecen empeñados en vivir una vida fácil y llena de todo tipo de placeres. La vida, sin embargo, nunca fue diseñada por Dios para ser fácil. Incluso desde el principio, Dios hizo al hombre y a la mujer para trabajar, y, por lo tanto, debemos trabajar.

Muchos gastan sus energías intelectuales y su fuerza física martillando en contra del Reino de Dios, ya sea con una clara intención o en las sombras de la ignorancia. Desde la salida del sol y mucho después de su desaparición bajo el horizonte, persiguen ambiciones egoístas o equivocadas, desenterrando las mazmorras eternas del inframundo y acumulando pesadas cargas sobre los hombros de los santos. Utilizando los talentos y dones que les ha concedido su Creador, trabajan inteligente y diligentemente a veces sin saberlo, para frustrar los planes de Dios, al cumplir los suyos propios.

Para detener esta creciente marea, Dios está llamando al mundo católico a propagarse como un vasto sistema interconectado de raíces, para extraer de Sus aguas vivas, su alimento. A través de las asociaciones benéficas, de las profesiones, de la política, de las corporaciones, las redes sociales y los clubes, dondequiera que el Espíritu de Dios siembre a su pueblo, debemos empeñarnos mutuamente para crecer altos y fuertes por toda la Tierra, siempre buscando al Hijo. Sólo si crecemos donde estamos plantados podremos cambiar el mundo.

Con el precepto en mente, de que Dios, la familia y las personas siguen siendo nuestra mayor prioridad, Dios está buscando la excelencia en nuestro trabajo. Si por naturaleza, por herencia o por desgracia, tenemos dificultades con el aprendizaje o nos cuesta trabajo expresarnos, Dios ve nuestro esfuerzo y nuestra lucha, como nada menos, que la excelencia humana. Si somos capaces de hacer bien el trabajo al que nos llama entonces espera que lo hagamos bien. Si podemos ser uno de los mejores en lo que hacemos, entonces Él no nos da ninguna excusa para no serlo. Aquellos que son los mejores en sus campos o en su experiencia, pero sin Cristo en sus vidas, son sólo una fracción de lo que podrían ser si poseyeran al Dios vivo. En cada logro sagrado, toda la gloria es sólo de Dios, porque no somos más que polvo. Su luz brilla más radiantemente a través de los católicos que saben que son pequeños, dándoles la apariencia de ser grandes.

¡Oh, qué valioso es el tiempo! Bienaventurados sean aquellos que saben aprovecharlo. Si todos pudieran entender su valor eterno, sin duda harían todo lo posible para gastarlo de una manera digna como los santos. Nada menos que la vida eterna de las almas está en juego. El ritmo de Dios para nuestro trabajo es constante, nunca apresurado, y a veces, debemos descansar en Su amor, ya que, el mundo nos cansa con su falta de dirección significativa y con prioridades distorsionadas. Pero el descanso no es pereza ni relajamiento, los cuales, son ladrones del Espíritu. Dios nos ha diseñado para ir siempre hacia adelante, haciendo una cosa a la vez y haciéndola bien. Si aspiramos a la perfección—no con un sentido distorsionado del perfeccionismo, que se centra en el "yo", sino por el deseo de hacer algo hermoso para Dios—al menos hagámoslo lo mejor que podamos. Y una vez que hayamos usado nuestros talentos para Su servicio, con la ayuda de los medios humanos disponibles para nosotros, todo lo que queda por hacer, es, levantar nuestros ojos hacia el cielo y decir, "Padre, esto es lo mejor que yo puedo hacer. Te lo ofrezco. Por favor, acepta mi humilde regalo, y con él, ayúdame a mí y al mundo, a crecer cada vez más en el amor a Ti".

41ª Estrella TEMPLANZA

(Una de las cuatro Virtudes Cardinales)

La templanza es un freno al hambre del cuerpo, a la influencia de las emociones negativas y a las aspiraciones centradas en nuestro ego. Esta virtud cardinal, que siempre reúne otras virtudes bajo sus amplias alas, protege al alma de los extremos que la tientan. Nuestra carne, cuando está saciada, encuentra satisfacción temporal en la complacencia, pero con el tiempo, se vuelve cada vez más insatisfecha con lo que alcanza. Genera adicción y los espíritus oscuros entran en nuestro ser, tomando el control de nuestras facultades y manipulándonos como marionetas para lograr sus fines mortales.

Podemos convertirnos en lobos hambrientos, buscando siempre satisfacer lo que percibimos son nuestras necesidades, dando como resultado devoramos a nosotros mismos y a los demás. El dinero y los bienes materiales nos engañan haciéndonos creer que son dioses. La comida nos dice que acabará con nuestro vacío interior; las drogas y el alcohol nos prometen que no habrá dolor. El poder nos dice que somos menos vulnerables y que no nos podrán controlar, y como respuesta de todo esto fantaseamos con caras pintadas y cuerpos semidesnudos. El entretenimiento, los videojuegos, el Internet, los deportes, las relaciones nocivas, el ejercicio excesivo y un sinnúmero de vanidades establecen sus tronos y acampan en nuestras almas. La televisión—el nuevo santísimo sacramento, a la cual, familias enteras se sientan enfrente y adoran—infiltra nuestras mentes con un gas venenoso e imperceptible.

Como resultado final: vivimos con cuerpos ansiosos, emociones salvajes, ojos hambrientos y bocas que salivan, persiguiendo comida que no nutre y agua que nos deja sedientos. Al tiempo que Dios -si lo escuchamos- nos asegura: *"No necesitas aferrarte a lo que deseo darte amorosamente— a mi manera y en mi tiempo. Confía en Mí. La paciencia y la templanza consiguen todas las cosas buenas".*

En la templanza, elegimos aceptar pequeños sufrimientos a cambio de evitar otros duraderos y horripilantes, incluso eternos. De esta manera, irritamos al diablo, que es como un perro rabioso atado con una cadena. Más allá de la longitud de sus cadenas y grilletes, no puede atrapar a nadie. Pero el que se acerque demasiado será capturado. A través de los pequeños sufrimientos exigidos por la templanza, nuestras almas mantienen una distancia segura.

Es algo como esto: un chico decide no entrar en chismes y así se convierte en el chisme de los demás. Con el tiempo, es elogiado por su integridad y su confiabilidad. Una joven rechaza las insinuaciones sexuales de los muchachos y sufre por su indiferencia, pero se salva de los estragos de un alma destrozada, de relaciones rotas, e incluso, tal vez de un aborto, y... se casa felizmente. Un hombre se niega a beber mucho con sus compañeros de trabajo y soporta el alejamiento de ciertos amigos, pero se ahorra la resaca y el vicio de la adicción y del desastre... lleva ahora una vida fructífera. Una mujer se abstiene de mirar la pornografía y evita pasar el resto de sus días tratando de borrar las imágenes grabadas de su mente; es creativa y libre.

La templanza nos permite aceptar el dolor que podría significar el decir no a las malas decisiones y en recompensa nos brinda alegría. En cierto sentido, podríamos afirmar que la templanza conquista al dolor o al menos le arrebata su más temible aguijón, haciéndolo insignificante. Del sufrimiento limitado que la templanza trae, brotan gloriosas fuentes de virtud, y cuanto más alto lleguen, más fértil es el subsuelo del que brotan. Dios se deleita en el alma templada, ofreciéndole respuestas, destellos de luz y consuelo en la persecución. Un panorama de avenidas numerosas y dones trascendentales se abren a ella, porque el alma templada, es una, en la que Dios puede confiar.

42ª Estrella CASTIDAD

La castidad, para algunos, es un estado de paz, liberando al cuerpo de la tensión y a la mente del deseo, preparando al alma para las alturas extáticas del amor desinteresado. Para otros, es un destino peor que las tormentas desenfrenadas de la lujuria que buscan devorar el alma. La castidad y la pureza con demasiada frecuencia se encuentran heridas a un lado del camino. Son descartadas y desechadas en favor de un fuego solitario que impulsa al cuerpo a unirse con la oportunidad de ir en busca del "amor" entre comillas.

La serpiente susurra que vivir sin placer sexual, es vivir una existencia frustrada e inhumana, en un estado solitario de represión y de privación. Mentiroso desde el principio, el diablo llena el alma con imágenes provocativas, con palabras, música y experiencias sugestivas, con el fin de atrapar los sentidos. La mente y el cuerpo, por lo tanto, adictos y poseídos, creen y sienten que ya no pueden vivir de otra manera. Incluso entre marido y mujer, donde la unión sexual está destinada a reflejar el amor unitivo y procreador de la Trinidad, la sensualidad cruda puede desplazar al Amor.

Durante mucho tiempo, han sido olvidadas las alegrías inocentes de la juventud y los placeres más simples de la vida. Nunca se sabe o pocas veces se recuerda, el claro llamado de Dios para honrar el cuerpo humano como un templo viviente del Espíritu Santo. La castidad no se atreve, a usar al otro por placer, por servidumbre o para escapar de la soledad. Nunca se comporta o se viste de manera que seduzca o llame la atención de la lujuria. La castidad se respeta a sí misma y respeta a los demás como criaturas dignas, hechas a imagen de Dios. Inspira el apretón de una mano, la mirada de ternura, el cariño de un abrazo, para sanar y nunca hacer daño. Sólo podemos imaginar la ternura contenida en las muestras de cariño entre José y María.

"*¡No, no morirás!* (Genesis 3:4b) Adelante, muerde el fruto de este árbol", exhorta la serpiente, mientras que la más pura de todas, la Señora vestida de sol, nos advierte a través de sus apariciones en Fátima (1917) que no lo hagamos: *Más almas van al infierno por los pecados de la carne que por cualquier otra razón... Se introducirán ciertas modas que ofenderán mucho a Nuestro Señor... La falta de modestia en las mujeres es una desgracia... Los pecados del mundo son muy grandes... Si los hombres supieran lo que es la eternidad, harían todo lo posible para cambiar sus vidas.*

Mientras un alma permanezca viva, nada bueno se pierde para siempre. Nuestros sentidos espirituales pueden ser despertados y el canto incesante de la lujuria puede ser encadenado y controlado mientras corremos a los brazos de Dios—a los sacramentos, a la Sagrada Escritura, al ayuno y a la oración—y si es necesario, a buscar consejo, acompañamiento y a un programa de recuperación. Con el tiempo, el alma comenzará a saborear el dulce néctar de la libertad.

43ª Estrella OBEDIENCIA

Si buscamos el Cielo, debemos de comprometernos con un proceso dinámico de transfiguración, o Cristificación —el intercambio de una figura por otra. Cuanto más nos convertimos a Dios, más insaciable nuestra hambre de virtud, nuestro anhelo de ser un santo. Después de todo, es por esto que nacimos, y nada menos que nuestra completa santificación asegurará nuestro paso radiante a través de las puertas del Paraíso.

Somos criaturas que nos encontramos vivas y aquí en la tierra, sin haber optado por esto. No elegimos nuestros cuerpos ni las maravillosas cualidades y defectos oscuros de nuestra personalidad, codificadas en nuestro ADN antes de nacer. Tampoco escogimos los dones naturales o la opresión heredada de nuestros antepasados. La sustitución de una figura por otra, consiste en vaciarnos nosotros mismos, de esos oscuros defectos congénitos para reemplazarlos, poco a poco, por los aspectos positivos de Jesús. Consiste también en despojarse de las vestimentas del "hombre viejo" (Colosenses 3:9-10; Efesios 4: 22-24; Romanos 6:6), como el orgullo, el egoísmo, el rencor o la rebeldía, para luego vestirse con una nueva vestimenta que no está hecha de esta tierra.

Debo desaparecer para que Jesucristo pueda aparecer en mí. Debo desocupar mi territorio para que Él lo ocupe completamente. Con este fin, Jesús nos dio la Iglesia Católica, y Él nos prometió guiarla hasta el fin de los tiempos (Mateo 16:18; Daniel 7: 13-14). No nos dejó huérfanos, a pesar de que algunos, buscan desde adentro, la destrucción de la Iglesia. No nos dio los mandamientos y la guía del Espíritu Santo de la Iglesia para engañarnos. Él no dijo, "Algunas de mis enseñanzas son verdaderas y otras no lo son, depende de ustedes individualmente discernir cuáles son cuáles. Les deseo buena suerte. Tu salvación depende de ello". ¿Por qué un Dios amoroso nos engañaría con falsas enseñanzas morales y frustraría nuestros esfuerzos de santificación? Por supuesto, esto no tendría sentido. Jesús nos prometió nunca retirar Su mano de la guía moral y de la autoridad de la Iglesia, aun cuando ciertos líderes, en sí mismos, no lo sigan.

Vivimos en una época de desobediencia, donde algunos creen precipitadamente que saben más que el Catecismo, que los Concilios de la Iglesia, que los santos, que incluso, saben más, que el mismo Jesús. Tergiversan la Escritura para decir lo contrario de lo que nos ha dejado tan claro. Rezan para que los actuales vientos del cambio expongan, por primera vez, la verdad real, y creen que la Iglesia Católica y sus santos han vivido y enseñado la apostasía desde el principio. Y dicen: "Todos están equivocados. Las Escrituras están equivocadas, pero yo tengo razón".

Aquellos que siguen las enseñanzas de la Iglesia, como fue instituida por Cristo, encontrarán puertos de seguridad y descanso para sus almas. Y aquellos que siguen los vientos del relativismo moral y fluyen con las mareas actuales de desobediencia masiva, serán arrastrados por una corriente hacia mares profundos y peligrosos.

44ª Estrella SACRIFICIO

Una enfermedad degenerativa, un matrimonio sacramental sin vida, un hijo descarriado, una terrible injusticia. . . ¿Cuál es el significado de tal sacrificio y sufrimiento? ¿De qué sirve? Cuando el primerísimo corazón humano sufrió, ¡gritó! No hay nadie que, en un momento de angustia, no se haya planteado la misma pregunta, ni explícitamente, ni de una manera confusa. La tragedia más oscura, sin embargo, no radica en el sufrimiento en sí mismo, sino en sufrir inútilmente.

Una chica que es abandonada por su padre empieza a consumir heroína para aliviar su dolor y muere por una sobredosis no planeada, con una aguja que cuelga de su brazo, y sus sueños más preciados mueren con ella. Tales tribulaciones sin sentido alrededor de nosotros, generan y fomentan agitación en el alma, hasta el punto de que podemos llegar a ser consumidos por un resentimiento inútil o con una rabia ciega en contra de Dios y de la vida.

Cuando Jesús caminó por esta tierra, la turbulencia y el odio que se levantaron tras Sus pasos fueron de tal magnitud que Su vida, humanamente hablando, se incendió y se convirtió en cenizas, terminando en una desgracia y en un sufrimiento indescriptible.

¿La diferencia? Ni una gota de Su sangre fue derramada en vano. Cada destello del látigo, cada grito espeluznante, cada espina punzante y cada insulto pernicioso que lo apuñaló, fue Su ofrenda de amor para la salvación del mundo. Y cada momento de nuestro sufrimiento está destinado a ser lo mismo. Este es el secreto detrás de todo el dolor redentor y el sacrificio voluntario. *"El que quiera venir detrás de mí, que renuncie a sí mismo, que cargue con su cruz y me siga"* (Marcos 8:34), *"Cuando ustedes ayunen, no pongan cara triste, como hacen los hipócritas"* (Mateo 6:16a), *"...no se sienta primero y calcula los gastos"* (Lucas 14:28), *"...cualquiera de ustedes que no renuncie a todo lo que posee, no puede ser mi discípulo"* (Lucas 14:33). Nuestro sufrimiento puede salvar almas.

Jesús vino a sanar y a mitigar nuestro inútil e innecesario, dolor autoinfligido. Él intentará, a cada paso, llamar nuestra atención y gritar, "¡Despierta!" Esto no es necesario. "¡Tú eres la causa de tu propia agonía!" Pero cuando, en comunión con Cristo sufriente, ofrecemos a Dios nuestros sufrimientos, los cuales, son inevitables, el sentido se restablece y la rebelión desaparece. A medida que descubrimos la naturaleza salvífica del sacrificio personal esculpido o tallado en el misterio de la cruz, nos visita una misteriosa sensación de paz y de alegría.

Llegará el momento en el que, los creyentes, siguiendo los pasos del Maestro, ya no se preocuparán por su dolor personal, sino que extenderán sus brazos para abrazar a la humanidad sufriente y hacer propias las heridas de la humanidad.

45ª Estrella MISERICORDIA

En las últimas semanas y en los últimos días de Su vida, Jesús fue recibido con indiferencia, con rabia, con cobardía y con traición. Las tormentas se juntaron a su alrededor y se acercaron, susurrando amenazas de tortura. Mientras el Señor caminaba hacia Su fin, tenía todas las razones para sentirse amargado e indignado con la raza humana. Un inevitable y desenfrenado aumento de hostilidad estaba decidido a descargar toda su brutal violencia en contra del Mismísimo Amor.

¿Cuál fue la respuesta del Amor? La Misericordia Insondable e Incomprensible. Jesús no se retiró de la escena para arder de resentimiento. Mientras que Su querido pueblo, por el que voluntariamente sufriría mil muertes lo trituraba con rechazándolo de manera radical. Su dolor nunca se centró en Sí mismo. En ningún momento, durante la Pasión, Jesús se vio envuelto en Su propia experiencia, exigiendo el reconocimiento o una explicación de la humanidad. Nunca lo encontramos echando sal en las heridas de Sus frustraciones o saboreando el fruto agridulce de la autocompasión—como si no hubiera otra realidad en el mundo excepto Su fracaso, o como si la historia debiera ser juzgada, en base, a Su propia desgracia.

A pesar de que, era Él, el ojo de la tormenta, vemos en los Evangelios, que, Él era totalmente inconsciente de sí mismo y que siempre extendía la mano a los demás. Nosotros éramos la razón de Su sufrimiento, y, sin embargo, nosotros éramos Su única preocupación.

Jesús tuvo una palabra cuidadosa para Su amigo, convertido en traidor: *"Judas, ¿con un beso entregas al Hijo del Hombre?"* (Lucas 22:48). Se mostró preocupado de que Sus discípulos no sufrieran el mismo destino que Él: *"Si es a mí a quien buscan, dejen que estos se vayan"* (Juan 18:8). Mientras se lo llevaban para ser sacrificado, reparó con suavidad, la oreja derecha del sirviente del sumo sacerdote (Lucas 22:51). A Pedro, enredado en la debilidad humana, le lanzó una mirada salvadora (Lucas 22:61). En el camino a la Cruz, dio una advertencia sincera a las mujeres que lloraban por Él (Lucas 23: 28). Al buen ladrón, muriendo en la cruz, le dijo las palabras que todos anhelamos escuchar: *"Yo te aseguro que hoy estarás conmigo en el Paraíso"* (Lucas 23:43). En el crisol de la insondable e incomprensible agonía, ofreció un tierno gesto de protección y devoción filial, dejando a Su madre al cuidado de su discípulo amado, Juan (Juan 19:26-27). Y en el apogeo del indescriptible dolor físico y angustia del corazón, Jesús se preocupó más por Sus enemigos: *"Padre, perdónalos, porque no saben lo que hacen"* (Lucas 23:34).

Por lo tanto, como imitadores de Aquel Quien vivió entre nosotros y murió por nosotros, ¿qué razón tenemos para negarnos a amar? ¿Y qué excusa tenemos para negar la misericordia?

46ª Estrella TEMOR

(También llamado Temor filial de Dios, uno de los siete dones del Espíritu Santo)

Imagina el cielo. Piensa en el momento más alegre y hermoso que ha adornado tu vida, y magnifícalo en mil millones. Aun así, ese precioso destello en el tiempo, no se puede comparar con los toques más pequeños del paraíso. Una vez allí, te sientes tan dichosamente en paz y felicidad que lo único que puedes hacer es sonreír, lo único que puedes hacer es reír. Imagina que cada una de tus tristezas son borradas, que cada una de tus expectativas son superadas, que cada una de tus peticiones son respondidas, que cada uno de tus deseos son cumplidos.

Jesús, María y todos los santos que ya han fallecido están ahí—los que estudiaste en tu vida y otros que te estás encontrando por primera vez. Alrededor de ti, en éxtasis, hay una infinidad de almas, a las cuales has amado y que te han amado. Y junto a ellas, una nube de ángeles y arcángeles; y vuelas a través del Reino eterno admirando las maravillas de Dios, y llegas a comprender el júbilo del Padre en Su obra de la Creación.

Contempla que todo lo bueno que has atesorado está disponible y al alcance de tu mano. Imagina a cada hombre, a cada mujer, a cada niño y a cada animal, amándote profundamente. Imagina vivir sano y feliz durante un millón de años. Imagina que todo lo que saboreas deslumbra a tu paladar, todo lo que tocas deleita a tu piel, todo lo que ves te deja embriagado y lleno de maravilla. Reflexiona en saberlo todo y estar rodeado de nada más que Amor. La desarmonía con uno mismo, con los demás, con el mundo, ha desaparecido.

Imagínate una vida de esa manera... y luego un millón de veces más grande que eso, y, aun así, no puedes concebir la magnitud de la Gloria eterna. Visualiza una multiplicación sin final de eso, y todavía no podrás ver todas las alegrías del Paraíso.

Cada alma en el Cielo refleja el amor inconmensurable de Dios, y así cuando tú y un habitante del Cielo se miran el uno al otro, son arrobados por el Espíritu Santo y aún más, elevados al éxtasis. Y justo cuando crees que has alcanzado toda la alegría que tu alma podría desear, el Padre te llena con más. Te conviertes en una luz deslumbrante, que cada vez arde más intensamente y acabas por entender que esto nunca terminará, sólo crecerá, ya que el Padre tiene un suministro interminable de amor que Él se deleita en compartir.

A medida que te tomas de la mano con tus santos compañeros y miras el esplendor del Todopoderoso, tu espíritu explota como un fuego artificial de éxtasis. Mientras la luz de tu espíritu es acariciada por los que te rodean, cada alma y espíritu se unen para llegar a ser uno con Dios, y entonces experimentas lo que nunca pensaste que fuera posible.

Unidos dentro de la visión beatífica, con la gloriosa Trinidad, sientes todo el amor de la eternidad introducirse en ti. Percibes y ves todas las cosas buenas que han sucedido desde el principio del tiempo. Te conviertes en parte de todo y uno con cada pensamiento o acción amorosa compartida a través de la humanidad y entre los ángeles. Te derrites en cada aliento de amor que ha habido, hay o habrá. Y entonces entiendes lo que es realmente el Cielo. [3]

---

[3]Adaptado del libro *"Mensajes del escultor Alan Ames"* de C. Alan Ames.

"Escucha, y ponlo en tu corazón, hijo mío el más pequeño, que no es nada lo que te asusta y aflige. Que no se perturbe tu rostro, tu corazón. No temas está enfermedad, ni ninguna otra enfermedad y angustia. ¿Acaso no estoy yo aquí, que soy tu madre? ¿No estás bajo mi sombra y protección? ¿No soy yo, la fuente de tu alegría? ¿No estás en el hueco de mi manto, en donde se cruzan de mis brazos? ¿Tienes necesitas de alguna otra cosa?"

ORACIÓN DE CONSAGRACIÓN A MARÍA

(Para dos o más personas. La consagración individual está en la siguiente página.)

Oración del Papa Juan Pablo II a Nuestra Señora de Guadalupe dada en la Ciudad de México, en enero de 1979, en la visita a Su basílica durante su primer viaje al extranjero como Papa

¡Oh Virgen Inmaculada, Madre del Verdadero Dios y Madre de la Iglesia! Tú, que desde este lugar manifiestas tu clemencia y tu compasión a todos los que solicitan tu amparo, escucha la oración que con filial confianza te dirigimos, y preséntala ante tu Hijo Jesús, único Redentor nuestro.

Madre de misericordia, Maestra del sacrificio escondido y silencioso, a ti, que sales al encuentro de nosotros, los pecadores, te consagramos también nuestra vida, nuestros trabajos, nuestras alegrías, nuestras enfermedades y nuestros dolores.

Da la paz, la justicia y la prosperidad a nuestros pueblos; ya que todo lo que tenemos y somos lo ponemos bajo tu cuidado, Señora y Madre nuestra. Queremos ser totalmente tuyos y recorrer contigo el camino de una plena fidelidad a Jesucristo, a su Iglesia. No nos sueltes de tu mano amorosa.

Virgen de Guadalupe, Madre de las Américas, te pedimos por todos los obispos, para que conduzcan a los fieles por senderos de intensa vida cristiana, de amor y de humilde servicio a Dios y a las almas.

Contempla esta inmensa mies e intercede para que el Señor infunda hambre de santidad en todo el Pueblo de Dios y otorgue abundantes vocaciones de sacerdotes y religiosos, fuertes en la fe y celosos dispensadores de los misterios de Dios.

Concede a nuestros hogares la gracia de amar y de respetar la vida que comienza, con el mismo amor con el que concebiste en tu seno la vida del Hijo de Dios.

Virgen Santa María, Madre del Amor Hermoso, protege a nuestras familias, para que estén muy unidas, y bendice la educación de nuestros hijos.

Esperanza nuestra, míranos con compasión, enséñanos a ir continuamente a Jesús y, si caemos, ayúdanos a levantarnos, a volver a Él, mediante la confesión de nuestra culpas y pecados en el sacramento de la Penitencia, que trae sosiego al alma.

Te suplicamos que nos concedas un amor muy grande a todos los santos sacramentos, que son como las huellas que tu Hijo nos dejó en la Tierra.

Así, Madre Santísima, con la paz de Dios en la conciencia, con nuestros corazones libres de mal y de odios, podremos llevar a todos la verdadera alegría y la verdadera paz, que vienen de tu Hijo, nuestro Señor Jesucristo, que con Dios Padre y con el Espíritu Santo, vive y reina por los siglos de los siglos. Amén.

Juan Pablo II
México, enero de 1979

ORACIÓN DE CONSAGRACIÓN A MARÍA

(Para una persona)

¡Oh Virgen de Inmaculada, Madre del verdadero Dios y Madre de Iglesia! Tú, que desde este lugar manifiestas tu clemencia y tu compasión a todos los que solicitan tu amparo, escucha la oración que con filial confianza te dirijo, y preséntala ante tu Hijo Jesús, único Redentor nuestro.

Madre de misericordia, Maestra del sacrificio escondido y silencioso, a ti, que sales al encuentro de nosotros, los pecadores, te consagro también mi vida, mi trabajo, mis alegrías, mis enfermedades y mis dolores.

Da la paz, la justicia y la prosperidad a nuestro pueblo; ya que todo lo que tengo y soy lo pongo bajo tu cuidado, Señora y Madre mía. Quiero ser totalmente tuyo y recorrer contigo el camino de una plena fidelidad a Jesucristo a su Iglesia. No me sueltes de tu mano amorosa.

Virgen de Guadalupe, Madre de las Américas, te ruego por todos los obispos, para que conduzcan a los fieles por senderos de intensa vida cristiana, de amor y de humilde servicio a Dios y a las almas.

Contempla esta inmensa mies e intercede para que el Señor infunda hambre de santidad en todo el Pueblo de Dios y otorgue abundantes vocaciones de sacerdotes y religiosos, fuertes en la fe y celosos dispensadores de los misterios de Dios.

Concede a mi hogar la gracia de amar y de respetar la vida que comienza, con el mismo amor con el que concebiste en tu seno la vida del Hijo de Dios.

Virgen Santa María, Madre del Amor Hermoso, protege a mi familia, para que esté muy unida, y bendice la educación de mis hijos.

Esperanza nuestra, mírame con compasión. Enséñame a ir continuamente a Jesús y, si caigo, ayúdame a levantarme, a volver a Él, mediante la confesión de mis culpas y pecados en el sacramento de la Penitencia, que trae sosiego al alma.

Te suplico que me concedas un amor muy grande a todos los santos sacramentos, que son como las huellas que tu Hijo nos dejó en la Tierra.

Así, Madre Santísima, con la paz de Dios en mi conciencia, con mi corazón libre de mal y de odio, pueda llevar a todos la verdadera alegría y la verdadera paz, que vienen de tu Hijo, nuestro Señor Jesucristo, que con Dios Padre y con el Espíritu Santo, vive y reina por los siglos de los siglos, Amén.

Juan Pablo II
México, enero de 1979

CERTIFICADO DE CONSAGRACIÓN

Este certificado confirma que

ha concluido el acto de la

Consagración Total a María

en

en la festividad de

en conformidad con la Consagración del Manto de María

Madre de la Misericordia, maestra del sacrificio secreto y silencioso, a ti, que vienes a buscar a pecadores, te consagramos en este día todo nuestro ser y todo nuestro amor. También te consagramos nuestra vida, nuestro trabajo, nuestras alegrías, nuestras enfermedades y nuestras penas. Concede paz, justicia y prosperidad a nuestro pueblo; porque confiamos a tu cuidado todo lo que tenemos y todo lo que somos, nuestra Señora y Madre. Deseo ser completamente tuyo y caminar contigo por el camino de la completa fidelidad a Jesucristo en Su Iglesia. Sostenme siempre con tu mano amorosa.

- El Papa San Juan Pablo II

Los certificados para firmar su consagración se pueden imprimir desde la página web: www.queenofpeacemedia.com/el-manto-de-maria

SIGAMOS AVANZANDO

POR MONSEÑOR JAMES MURPHY

Mi deseo para ti es que, esta Consagración al Manto de María no sea un acontecimiento, de solo una vez, sino que algo que cambie la vida, algo que cambie tu vida de oración permanentemente. Eso significa no tener miedo de hacer el retiro espiritual de 46 días de nuevo, incluso varias veces (u otra forma de oración que te sea útil). Los directores espirituales nos dicen que, la verdadera oración, es una forma de vida, no sólo algo a lo que recurrimos en casos de emergencia. Necesitamos hacer de la oración un hábito profundamente arraigado para que cuando surja la necesidad, ya estemos en la práctica.

Eso significa usar tu tiempo apropiadamente, pasar más tiempo en la oración y menos tiempo sin hacer nada, o matando el tiempo. Usamos mucho esa frase—matando el tiempo—como si el tiempo fuera un fastidio que se tuviera que "matar", en lugar de ser una oportunidad invaluable para acercarse a Dios. El tiempo que tienes en este mundo es limitado. No lo desperdicies.

Sin embargo, esto también significa tener determinación. A pesar de que todos nosotros, tenemos un profundo deseo de una relación más íntima con Dios, también sufrimos de cierta ambivalencia—deseos conflictivos, como dudas o miedos o heridas que provienen del pasado. La forma de manejar estos conflictos es con honestidad, contándoselos a Dios y poniéndolos a Sus pies. Si haces eso, te sorprenderás de lo rápido que se evaporarán los conflictos y tu intimidad con Dios crecerá.

Que te proteja el manto de María, mientras recorres este importante camino de oración y vives la consagración que acabas de hacer.

INVITACIÓN PARA QUIENES REALIZARON LA CONSAGRACIÓN

Si disfrutaste el libro de consagración, agradeceríamos envíes un mensaje comentando tu experiencia en la Página de FB: "México con María" … estamos seguros que harás una diferencia en la vida de las almas y ayudará a más personas a crecer espiritualmente y a consagrar sus vidas a la Santísima Madre.

TAMBIÉN TE ANIMAMOS A INVITAR A TU PARROQUIA O GRUPO A HACER O RENOVAR SU CONSAGRACIÓN A MARÍA

En este momento crítico en la iglesia y en la historia de la humanidad es vital para los católicos crecer en virtud, en los dones del espíritu santo y consagrar nuestras vidas a nuestra Santísima Madre

Habla con tu párroco o catequista e invítales a visitar nuestra página de Facebook "México con María" donde podrán ver los videos que acompañan esta Consagración Mariana.

OTROS LIBROS

de Christine Watkins

Y en formato impreso y electrónico
en www.queenofpeacemedia.com y amazon.com

TRANSFIGURADA

LA HISTORIA DE PATRICIA SANDOVAL

"Su testimonio tocará muchas almas, unas adoloridas y otras confundidas".

—EMMANUEL, Famoso Cantante Mexicano

También recomendado por

el Arzobispo Salvatore Cordileone y el Obispo Michael C. Barber, SJ

(Ver www.PatricaSandoval.com para ordenar el DVD Transfigurada y ver el tráiler del libro)

"¿Estás listo para leer una de las historias de conversión más poderosas jamás escritas? En serio, ¿lo estás? Es una afirmación audaz e impactante, lo admito. Pero la historia que estás a punto de tener el placer de leer es tan intensa y brutalmente sincera que no me sorprendería si te hace llorar varias veces y te abre la puerta a una experiencia de misericordia y sanación. Esta historia está hecha para la pantalla grande, y ruego para que llegue allí algún día. Es así de increíble.

. . . Lo que usted está a punto de leer es de lo más crudo, real y fascinante que puede llegar a ser una historia. ¡No pude dejar de leer este libro!"

—P. Donald Calloway, MIC

Autor de *No Turning Back* y *Consecration to St. Joseph*

#1 Best-Seller: THE WARNING

en español:

EL AVISO

TESTIMONIOS Y PROFECÍAS DE LA ILUMINACIÓN DE LA CONCIENCIA

con ***IMPRIMATUR*** por **Mons. Ramón C. Argüelles**
Recomendado por **Obispo Gavin Ashenden, Mons. Ralph J. Chieffo, P. John Struzzo, Mark Mallet, P. Berdardin Mugabo**

Incluye la fascinante historia de Marino Restrepo, reconocido como un San Pablo para nuestro siglo.

Relatos auténticos de santos y místicos de la Iglesia que han hablado de un día en el que todos veremos nuestras almas a la luz de la verdad, con las fascinantes historias de aquellos que ya lo han experimentado y aún viven entre nosotros.

"Con Su amor divino, abrirá las puertas de los corazones e iluminará a todas las conciencias. Cada persona se verá a sí misma en el fuego ardiente de la verdad divina. Será como un juicio en miniatura".

— **Nuestra Señora al Padre Stefano Gobbi** Fundador del Movimiento Sacerdotal Mariano.

OF MEN AND MARY

en español:

HOMBRES JUNTO A MARÍA

ASÍ VENCIERON SEIS HOMBRES LA MÁS ARDUA BATALLA DE SUS VIDAS

"*Hombres Junto a María* es excepcional. Los seis testimonios de vida que contiene son milagrosos, heroicos y verdaderamente inspiradores".

—P. Gary Thomas

Sacerdote, exorcista y protagonista del libro y la película "El Rito".

Conforme recorras sus páginas, te encontrarás sorprendentemente inspirado por un asesino encerrado en prisión, un jugador de fútbol drogadicto que soñaba con ser profesional, y un temerario egoísta mujeriego que murió y conoció a Dios. Te cautivará la historia de un marido y padre cuyo matrimonio fue un campo de batalla; la de un hombre que buscaba desesperadamente pertenecer, atraído por la lujuria y atracciones ilícitas, y un hombre sencillo que perdió, en un solo momento, a todos los que más le importaban. Y te alegrarás de que sus pecados y su pasado no hayan sido un obstáculo para el Cielo.

Queen of Peace
MEDIA
.com

Made in the USA
Monee, IL
19 October 2024

68289355R00077